CÉZANNE – RENOIR

Chefs-d'œuvre des collections
des musées de l'Orangerie et d'Orsay

Fondation Pierre Gianadda
Martigny Suisse

CÉZANNE – RENOIR
REGARDS CROISÉS

Chefs-d'œuvre des collections
des musées de l'Orangerie et d'Orsay

Commissaire de l'exposition

Cécile Girardeau avec la collaboration d'Alice Marsal,
responsable des archives et de la documentation
au musée de l'Orangerie

Musée
de l'Orangerie

Musée d'Orsay

Du 12 juillet au 19 novembre 2024
Tous les jours de 9 h à 18 h

Cette exposition est placée sous le haut patronage de

Madame Viola Amherd
Présidente de la Confédération suisse

Avec le soutien de

 UBS

Partenaire principal de la Fondation Pierre Gianadda

À la mémoire de M. Frédéric Mitterrand,
ancien ministre de la Culture (2009 – 2012)
et ami de Léonard et de la Fondation

J'ai créé la Fondation Pierre Gianadda pour perpétuer le souvenir de mon frère Pierre décédé tragiquement le 31 juillet 1976 en portant secours à ses camarades victimes d'un accident d'avion. C'était il y a 48 ans.

Depuis lors, la Fondation a déjà accueilli plus de 10 millions de visiteurs.

Léonard Gianadda

Léonard Gianadda, Frédéric Mitterrand et François Gianadda
à l'Académie des Beaux-Arts, Institut de France

Cézanne – Renoir.

Les œuvres de Cézanne et Renoir ont déjà orné les cimaises de la Fondation à plusieurs reprises et notamment lors des deux grandes expositions réalisées par Daniel Marchesseau, conservateur général honoraire du patrimoine et surtout grand ami de Papa : *Renoir – Revoir Renoir* en 2014 et *Paul Cézanne – Le Chant de la Terre* en 2017. Toutes deux avaient été un succès.

Réunir ces deux grands maîtres qui ont marqué la fin du XIXe et le début du XXe siècle : voici la proposition d'exposition soumise à Papa par Christophe Leribault alors Président des musées de l'Orangerie et d'Orsay lors d'un dîner à Paris le 16 novembre 2022, en compagnie également de son ami Daniel !

Papa était très heureux de ce projet et, en particulier, de pouvoir collaborer avec des institutions telles que le musée de l'Orangerie et le musée d'Orsay.

***

Il tenait à ce que le plan d'accrochage et les détails de l'exposition se règlent rapidement afin qu'il puisse valider l'ensemble du projet. En effet, il souhaitait que les œuvres des deux artistes soient mises en confrontation et il désirait également que les œuvres de la Collection de la Fondation Pierre Gianadda puissent y trouver leur place.

Le 20 novembre 2023, alors que Papa était hospitalisé suite à son accident, Stéphanie de Brabander, qu'il avait connue lors de l'exposition *Picasso sous le Soleil de Mithra* en 2001 et qu'il était ravi de retrouver vingt ans plus tard, ainsi que Cécile Girardeau, commissaire, ont toutes deux effectué le déplacement jusqu'à Martigny afin d'établir un plan d'accrochage.

Papa les a reçues dans sa chambre d'hôpital et a pu constater que ses deux souhaits étaient parfaitement réalisés. Il a ainsi pu, comme à son habitude, régler les derniers détails et il était très heureux de la forme que prenait l'exposition mais surtout, il a pu, encore une fois, les remercier chaleureusement de ce beau projet et de leur disponibilité !

Il a profité également de ce moment privilégié et très émouvant pour remercier ces deux grandes institutions qui ont participé au rayonnement de la Fondation durant presque 50 ans et évoquer avec Stéphanie de bons souvenirs et quelques anecdotes car, malgré la situation, il n'avait rien perdu de son sens de l'humour.

Ces instants me rappellent aujourd'hui les ultimes paroles de Madame la Comtesse du Barry, montant sur l'échafaud : « Encore un moment, Monsieur le bourreau ! ».

C'était la phrase préférée de la Révolution française du regretté Frédéric Mitterrand, ami apprécié de Papa et de la Fondation, à qui l'on doit notamment d'avoir pu reproduire le buste de Jules César au Tepidarium.

François Gianadda
Président de la
Fondation Pierre Gianadda

Remerciements

La Fondation Pierre Gianadda exprime sa plus vive reconnaissance à l'Etablissement public du musée d'Orsay et du musée de l'Orangerie-Valéry Giscard d'Estaing, Paris, qui ont, avec Léonard Gianadda son regretté fondateur et président, permis la réalisation de cette exposition.

Nous remercions plus particulièrement :

Sylvain Amic
Président de l'Etablissement public du musée d'Orsay et du musée de l'Orangerie-Valéry Giscard d'Estaing

Claire Bernardi
Directrice du musée de l'Orangerie

Virginie Donzeaud
Administratrice générale adjointe

Pierre-Emmanuel Lecerf
Administrateur général

Nathalie Vaguer-Verdier
Adjointe à la Directrice du musée de l'Orangerie

Cécile Girardeau
Conservatrice au musée de l'Orangerie

Paul Perrin
Directeur de la conservation et des collections du musée d'Orsay

Clémence Maillard
Directrice des expositions

Amélie Hardivillier
Directrice de la communication

Stéphanie de Brabander
Adjointe à la directrice des expositions

Marie-Caroline Dufayet
Directrice des Editions

Odile Michel
Cheffe du service de la régie des œuvres
du musée d'Orsay

Thomas Eschbach
Responsable de la régie des collections au service
du musée de l'Orangerie

Nous tenons à remercier sincèrement Cécile Girardeau et Stéphanie de Brabander qui ont fait le déplacement jusqu'à Martigny en novembre dernier afin de régler les derniers détails de cette exposition avec Léonard qui en fut très touché.

Notre gratitude va aux auteurs du catalogue qui, par leurs écrits, ont contribué à la richesse de cet ouvrage :

Sylvain Amic
Cécile Girardeau
Juliette Degennes
Daniel Marchesseau

Claire Bernardi
Alice Marsal
Antoinette de Wolff

Merci enfin à toutes celles et ceux qui ont apporté leur soutien à l'exposition :

Mme Carina Callegaro
Mme Sophia Cantinotti
M. Luigi Cavadini
M. Didier Chammartin
Mme Catherine Dantan
G-P. F. Dauberville
Mme Nadine Degen, ProLitteris
Mme Martha Degiacomi
Mme Christelle Devillers
Mme Antoinette de Wolff
Mme Nathalie Dioh, RMN
Mme Claudio Diotallevi
Mme Giovanna Gaillard
Mme Cinzia Garcia

Mme Florence Gay-des-Combes
GK Sécurité SA
M. Thomas Hennocque
Mme Julia Hountou
M. Philippe Knecht
M. Claude Margueret
M. Christoph Leribault, Président de
l'Établissement public du château,
du musée et du domaine national
de Versailles
Mme Véronique Melis
M. Olivier Morel
M. Pierre-André Murisier

Mme Stéphanie Monnet,
Picasso Administration
Mme Lara Nock
M. Veton Osmani
M. Jean-Henry Papilloud
M. Pierre-Olivier Papilloud
Mme Gaëlle Pierroz, SGA
Mme Christine Pinault,
Picasso Administration
Mme Delphine Ruffieux
Mme Marine Sangis, RMN
M. Guillaume Roux, musée d'Orsay
Mme Anne-Marie Valet
Mme Monique Zanfagna

Paul Cézanne et Auguste Renoir : regarder le monde

par Sylvain Amic
Président de l'Etablissement public du musée d'Orsay
et du musée de l'Orangerie – Valéry Giscard d'Estaing

et Claire Bernardi
Directrice du musée de l'Orangerie

À la croisée du XIXᵉ et du XXᵉ siècle, Pierre-Auguste Renoir et Paul Cézanne ont creusé deux sillons de la modernité picturale : le premier en frayant le chemin de traverse de l'impressionnisme, où la ligne cède le pas à la touche, à la couleur et à la lumière ; le second en pavant une voie nouvelle aux tracés rythmiques et synthétiques. Bien que distinctes, leurs trajectoires n'ont cessé de se rencontrer, par l'amitié, par l'admiration réciproque, par une communauté de sujets et de questionnements aussi, de la nature morte aux paysages, du portrait au nu, et jusque dans leur quête d'une essence des choses et des êtres.

Les deux peintres avaient aussi en commun des collectionneurs et marchands visionnaires qui les ont consacrés sur le marché de l'art : Victor Chocquet, Ambroise Vollard, Albert Barnes, et bien sûr Paul Guillaume ainsi que son épouse Domenica, dont le musée de l'Orangerie a hérité de la collection. Une collection qui rassemble un panorama exceptionnel de l'œuvre de ces deux artistes révolutionnaires mais pas iconoclastes, depuis leurs premières toiles, dans les années 1870, jusqu'à leur dernière manière, au début du XXᵉ siècle.

Rien d'artificiel, donc, à ce dialogue entre les œuvres de Cézanne et de Renoir qui prolonge celui qui s'était noué entre les deux hommes dans la capitale française à l'orée de leur carrière. Au fil des années 1870, leurs affinités électives s'épanouissent au café de la Nouvelle Athènes et lors des premières expositions impressionnistes où ils exposent conjointement. Malgré le retrait progressif de Cézanne de la scène parisienne, les deux amis continuent de se fréquenter : Renoir séjourne même plusieurs fois chez l'Aixois au cours des années 1880 et 1890.

Si les deux peintres sont encore liés par leur recherche d'un classicisme réactualisé, celle-ci ne retient pas les mêmes solutions esthétiques. Cette exposition le montre avec une clarté inédite : l'expressivité chaleureuse du maître de l'impressionnisme s'y heurte à la précision analytique du héraut du cubisme. À la sensualité des pêches pleines et duveteuses de Renoir, à ses fraises bien rouges et ses poires rosées, gorgées de soleil et présentées sur des nappes épaisses, répondent les fruits fermes et jaunes de Cézanne, qu'il cerne de noir et dispose sur des tables nues aux arêtes nettes. Les nus alanguis et voluptueux de Renoir détonnent face aux nudités plus verticales, musculeuses et masculines de Cézanne. Et tandis que les portraits de Renoir respirent la douceur de vivre, la sérénité et la tendresse, les figures sont souvent plus distantes et moins souriantes chez Cézanne, parfois presque abstraites. À l'un, le génie des couleurs et des courbes, de la lumière et du flou ; à l'autre, le sens des angles, des contours et des nervures.

Tous deux, néanmoins, partagent une même destinée. Ils sont devenus de leur vivant des maîtres tutélaires pour les artistes du XXᵉ siècle, qui n'ont eu de cesse de prolonger ou d'infléchir les audaces de leurs aînés. Combien de fois les baigneuses de Renoir et de Cézanne ont-elles été réinterprétées ? Combien de Picasso, de Derain et de Matisse ont renchéri sur les disproportions des figures tardives de Renoir et l'élongation des personnages de Cézanne ? Quel artiste n'a pas mesuré sa palette aux chatoiements du premier et ses compositions aux géométrisations du second ? Oui, Renoir et Cézanne sont bien de ceux qui ont donné le coup d'envoi des avant-gardes artistiques du XXᵉ siècle.

L'étape suisse de cette exposition ne saurait s'ouvrir sans saluer la mémoire de Léonard Gianadda. Bienfaiteur, mécène, amoureux des arts, et grand admirateur de ces deux peintres de la modernité, Léonard Gianadda n'a cessé de soutenir, partager et explorer le monde des impressionnistes. Le musée d'Orsay et le musée de l'Orangerie se souviennent avec émotion de son soutien inébranlable et de son engagement pour la réussite de ce dialogue au sommet entre Renoir et Cézanne. Aussi a-t-il tenu, juste avant sa disparition, à ce que cette exposition fasse une dernière escale à la Fondation Pierre Gianadda. Que celle-ci, ainsi que ce catalogue qui en restera la mémoire, soit pour nous l'occasion de lui exprimer notre reconnaissance et de lui rendre un dernier hommage.

Pierre-Auguste Renoir (1841-1919) et Paul Cézanne (1839-1906) : trajectoires croisées de deux grands maîtres de la peinture

par Cécile Girardeau
Commissaire

Le rapprochement entre deux artistes aussi différents au premier abord que Cézanne et Renoir nous étonne probablement aujourd'hui. Celui-ci a cependant longtemps été l'un des lieux communs de la critique moderniste du début du XXᵉ siècle pour peu à peu tomber dans l'oubli au profit d'autres récits de l'histoire de l'art. Le critique Gustave Geffroy soulignait ainsi en 1905 que « la nature, joyeuse et tranquille chez Renoir, est chez Cézanne, solennelle et éternelle[1] ». Renoir et Cézanne s'affirment en effet comme deux grands maîtres de la peinture française durant le dernier quart du XIXᵉ siècle et au tout début du XXᵉ. Du creuset impressionniste de leurs débuts à l'âge de la maturité, les deux hommes n'ont cessé de tracer une voie singulière, s'exprimant chacun dans son style, avec rigueur et géométrie pour Cézanne et harmonie et délicatesse pour Renoir. De nombreux points de passage existent entre leurs œuvres. Paysages, natures mortes, portraits de leur entourage ou encore nus ainsi que les grandes baigneuses tardives constituent pour eux des champs communs d'expérimentations. L'observation du modèle et de la nature conjuguée avec l'aspiration à dégager une essence atemporelle leur permet à tous deux d'incarner une forme de modernité classique.

Fig. 1
Paul Cézanne
La Maison du pendu, Auvers-sur-Oise, 1873
Huile sur toile, 55 × 66 cm
Legs du comte Isaac de Camondo, 1911
Paris, musée d'Orsay

Du creuset impressionniste à la crise des années 1880

Dès les années 1860, à Paris, les deux hommes nouent une amitié durable mêlée d'une admiration réciproque. Ils participent ensemble aux débuts héroïques de l'aventure impressionniste en montrant leurs toiles dans les expositions du groupe dont la première se tient en avril 1874 à Paris. Cézanne y présente notamment *La Maison du pendu* (Paris, musée d'Orsay) et Renoir, *La Loge* (Londres, The Courtauld Gallery). Cependant,

quelques années plus tard, les deux artistes traversent une période de doutes et d'insatisfaction profonde partagée par l'ensemble du groupe, au point qu'on a pu véritablement parler de « crise de l'impressionnisme[2] ». Au printemps 1879, Renoir tout comme Cézanne ou encore Sisley refusent de participer à la quatrième exposition impressionniste. L'année 1880 marque quant à elle la cinquième exposition impressionniste, mais ni Cézanne, ni Monet, ni Renoir, ni Sisley n'y figurent, et cet effritement du groupe original s'accompagne

[1] G. Geffroy, « Le Salon d'automne », *Le Journal*, 17 octobre 1905, p. 5.
[2] J. Isaacson (dir.), *The Crisis of Impressionism: 1878-1882*, catalogue de l'exposition, Ann Arbor, University of Michigan Museum of Art, 1980.

Fig. 2
Pierre-Auguste Renoir
La Loge, 1874
Huile sur toile, 80 × 63,5 cm
Samuel Courtault Trust
Londres, The Courtauld Gallery

Fig. 3
Paul Cézanne
La Montagne Sainte-Victoire et le viaduc de la vallée de l'Arc, 1882-1885
Huile sur toile, 65,4 × 81,6 cm
Collection H.O. Havemeyer, legs Mme H.O. Havemeyer, 1929, 29.100.64
New York, The Metropolitan Museum of Art

d'importantes évolutions picturales. Par des voies différentes, Cézanne, Pissarro et même, pour un temps, Renoir réagissent contre la primauté de la touche au détriment du dessin prônée par l'impressionnisme. Ils aspirent à représenter un univers moins insaisissable et fugitif, à donner moins d'importance à la spontanéité du geste, pour retrouver des valeurs d'ordonnancement et de construction dans leurs compositions, sans pour autant sacrifier toutes les conquêtes de l'impressionnisme. La confidence de Renoir relatée par le marchand Ambroise Vollard est ainsi restée célèbre : « Vers 1883, il s'était fait comme une cassure dans mon œuvre. J'étais allé jusqu'au bout de l'"impressionnisme" et j'arrivais à cette constatation que je ne savais ni peindre ni dessiner. En un mot, j'étais dans une impasse. » Il souhaite

désormais se détourner du plein air : « En peignant directement devant la nature, le peintre en arrive à ne plus chercher que l'effet, à ne plus composer, et il tombe vite dans la monotonie. » « Les "découvertes" des impressionnistes, les anciens ne pouvaient pas les ignorer, et, s'ils ont laissé ça de côté, c'est que tous les grands artistes ont renoncé aux effets[3]. » Il s'agit donc de réviser ses principes et de réapprendre à dessiner.

Tout comme Renoir, Cézanne ne se résout pas à la dissolution de la forme de la figure. Ils recherchent tous deux les structures de la ligne et du modelé. Par ailleurs, ils continuent d'explorer les catégories de la peinture au-delà du paysage et de la nature morte en gardant un attachement à la figure humaine. C'est le moment où Renoir peint par exemple ses séries sur les jeunes filles comme *Jeunes filles au piano* (Cat. 1) ou *Portrait de deux fillettes* (Cat. 39) et Cézanne le portrait de son fils Paul, *Portrait du fils de l'artiste* (Cat. 44), ou des vues très construites, *La Montagne Sainte-Victoire et le viaduc de la vallée de l'Arc* (New York, The Metropolitan Museum of Art). C'est précisément à cette époque que Renoir effectue

[3] A. Vollard, *En écoutant Cézanne, Degas, Renoir* [1938], Paris, Éditions Grasset & Fasquelle, 2003, pp. 295-298.

plusieurs séjours dans le sud de la France auprès de Cézanne et qu'il existe une grande proximité entre les deux hommes. Ils se retrouvent alors que Renoir, de retour d'Italie, séjourne à L'Estaque et ils peignent côte à côte. Renoir écrit au marchand Paul Durand-Ruel à propos de ce séjour :

Lundi 23 janvier 1882
Cher Monsieur Durand-Ruel,
J'ai reçu hier dimanche la somme de 500 francs que vous avez eu l'obligeance de m'envoyer. J'étais à L'Estaque, un petit endroit comme Asnières, mais au bord de la mer. Comme c'est très beau ma foi, j'y reste encore une quinzaine. Ce serait vraiment dommage de quitter ce beau pays sans en rapporter quelque chose et il fait un temps ! Le printemps avec un soleil doux, et pas de vent, ce qui est rare à Marseille. De plus, j'y ai rencontré Cezanne et nous allons travailler ensemble.
Dans une quinzaine, j'aurai le plaisir de vous serrer la main et de vous montrer ce que j'aurai rapporté. J'ai une caisse en route pour la rue St-Georges.
Bien des amitiés à tous ces Messieurs et à vous, mille amitiés
Renoir[4].

Quatre tableaux de Renoir représentant L'Estaque sont ainsi datés de 1882[5]. Renoir a également attesté le caractère parfois ombrageux de son ami et sa manière de peindre ainsi que ses tendances autodestructrices : « C'était un spectacle inoubliable, me dit Renoir, que Cezanne installé à son chevalet, peignant, regardant la campagne ; il était véritablement seul. Il revenait le lendemain, et tous les jours, et parfois aussi s'en allait désespéré, revenait sans sa toile qu'il laissait abandonnée sur une pierre ou sur l'herbe[6]. »

Il existe aussi des témoignages qui permettent d'éclairer le caractère de Cézanne dans les écrits du fils de Renoir où il relate les souvenirs de son père : « Cezanne un jour se plaignait à mon père de l'outrecuidance d'un grand bourgeois d'Aix-en-Provence : non seule-ment cet individu avait adorné son salon d'une toile de Besnard [Albert Besnard], "ce pompier qui prend feu", mais il se permettait de chanter à vêpres à côté de Cezanne et de chanter faux. Renoir amusé rappela à son ami que tous les chrétiens sont frères. "Votre frère a le droit d'aimer Besnard, voire de chanter faux à vêpres. Ne le retrouverez-vous pas au ciel ? – Non ", rétorqua Cezanne. Et, mi-sérieux, mi-blagueur, il ajouta : "Au ciel, ils savent fort bien que je suis Cezanne !" Il ne se croyait pas supérieur au bourgeois d'Aix. Il se savait différent, "comme le lièvre est différent du lapin… !" Et Cezanne ajoutait : "Je ne suis pas même capable d'exprimer convenablement les volumes… Je ne suis rien… !" Ce mélange d'orgueil grandiose et d'humilité non moins grandiose s'expliquait chez Cezanne. À soixante ans il n'avait jamais connu le grand succès commercial. Il n'avait jamais été reçu au salon de "Monsieur Bouguereau"[7]. »

En 1883, Renoir effectue un voyage d'études avec Claude Monet sur la côte méditerranéenne entre Marseille et Gênes. Ils rendent alors visite à Cézanne sur le chemin du retour. En 1889, Cézanne et Renoir peignent tous deux des vues du pigeonnier de Bellevue ainsi que de la montagne Sainte-Victoire lors d'un séjour où les Renoir louent une maison appartenant à la belle-famille de Cézanne.
La décennie suivante est aussi marquée par des moments partagés entre les deux artistes. Le fils de Renoir, Jean, raconte ainsi qu'il est auprès de Cézanne lorsqu'il apprend la mort de l'artiste Berthe Morisot. « En 1895 au début de l'année, Renoir qui était allé peindre près de Cezanne dans le Midi apprit la mort de Berthe Morisot. Ce fut un grand coup pour lui. [...] Quant à Cezanne, il n'avait jamais fait complètement partie des "intransigeants" de l'époque héroïque. L'amitié profonde qui l'unissait à Renoir avait d'autres bases que j'essaierai de définir. Quand Renoir reçut le télégramme de ma mère annonçant la mort de Berthe Morisot, il était avec Cezanne assez loin dans la campagne, tous deux travaillant sur le même motif. Mon père plia ses affaires et fila à la gare sans même repasser par le Jas de Bouffan. "J'avais l'impression d'être tout seul dans un désert. Je me repris dans le train en pensant à ta mère, à Pierre

---
[4] Lettres de Renoir à Durand-Ruel, lundi 23 janvier, mardi 14 et dimanche 19 février 1882, dans *Correspondance de Renoir et Durand-Ruel*, lettres réunies et annotées par C. Durand-Ruel Godfroy, vol. 1, 1881-1906, Lausanne, La Bibliothèque des arts, 1995, p. 20.
[5] *Roches à L'Estaque*, 32,2 x 40,3 cm, collection privée, D 775 ; *Les Oliviers de L'Estaque*, 37 x 67 cm, Japon, Marubeni Art Collection ; D 914 ; *L'Estaque*, signé et daté, 66 x 81 cm, collection privée, D 869 ; *Rochers à L'Estaque*, signé et daté, 66 x 82 cm, Boston, Museum of Fine Arts, collection Juliana Cheney Edwards, legs Hannah Marcy Edwards, à la mémoire de sa mère, 1939, D 774.
[6] G. Geffroy, « L'art d'aujourd'hui. Paul Cézanne », *Le Journal, quotidien, littéraire, artistique et politique*, 3e année, no 544, 25 mars 1894, p. 1 ; repris par G. Geffroy, « Paul Cézanne », *La Vie artistique*, 3e série, Paris, E. Dentu éditeur, 1894, pp. 249-260 ; repris par G. Geffroy, *La Vie parisienne*, 3e série, 16 novembre 1895.
[7] J. Renoir, *Renoir*, Paris, Hachette, 1962, p. 34.

Fig. 4
Paul Cézanne
Pigeonnier de Bellevue, vers 1889-1890
Huile sur tissu, 65,6 × 81,5 cm
The James W. Corrigan Memorial, 1936.19
Cleveland, The Cleveland Museum of Art

Fig. 5
Pierre-Auguste Renoir
Pigeonnier de Bellevue, vers 1889
Huile sur toile, 54 × 65 cm
Philadelphie, The Barnes Foundation, inv. BF969

et à toi. Dans ces moments-là, c'est une bonne chose d'être marié et d'avoir des enfants"[8]. » Renoir assiste à l'enterrement de Berthe Morisot le 5 mars 1895 à Paris. Au-delà de ces séjours et de l'admiration réciproque qui existe entre Cézanne et Renoir, des liens amicaux vont aussi perdurer entre les deux familles, et même après la mort de Cézanne en 1906, Mme Cézanne et son fils Paul séjournent chez les Renoir à Cagnes en janvier 1911.

Marchands et collectionneurs

Les deux hommes ont également des marchands et des collectionneurs en commun.
C'est en 1894 que Renoir fait la connaissance d'Ambroise Vollard, qui devient son marchand. Renoir l'encourage alors à exposer les peintures de Cézanne, comme le relate Jean Renoir dans l'ouvrage qu'il a consacré à son père : « Pour en revenir à cette première entrevue, mon père eut l'idée brillante de lancer Vollard sur Cezanne. Ce dernier, dégoûté de Paris, des expositions et des

critiques, ne quittait presque plus Aix. "J'ai de quoi manger et je les emmerde !" Renoir eut l'intuition que cet Othello pourrait avancer de vingt ans un triomphe inévitable. Bien entendu Vollard connaissait la peinture de Cezanne. Il est possible que ce soit Renoir qui lui en ait fait comprendre la valeur, "inégalée depuis la fin de l'art roman". Dans ce genre de conversation il oubliait entièrement que lui-même existait aussi[9]. »

L'influence de Renoir à ce propos est par ailleurs souli-gnée dans les souvenirs du marchand lui-même : « Aus-si, dès que j'eus boutique sur rue, mon ambition a été de faire une exposition de Cezanne. J'y étais d'ailleurs encouragé par Renoir qui déplorait l'obscurité où l'on laissait un si grand artiste. Mais que de difficultés rien que pour connaître l'adresse du peintre ! Mon premier mouvement fut de courir chez le père Tanguy dont je n'ignorais pas qu'il était l'homme de confiance de Cezanne. Il avait même, m'avait-on dit, la clé de son atelier où de rares amateurs, et avec prudence, s'appro-visionnaient de toiles du peintre au prix de cent francs les grandes et quarante les petites[10]. »

[8] *Ibid.*, pp. 299-300.
[9] *Ibid.*, pp. 302-305.
[10] A. Vollard, « Souvenirs sur Cézanne », *Cahiers d'art*, 6e année, no 9-10, 1931, pp. 386-389.

Vollard expose ainsi Cézanne dès 1895 et devient son marchand en 1896. Il lui achète de nombreuses toiles à un prix modique. Il en vend quelques-unes et garde l'essentiel tout en continuant de faire la promotion de l'artiste. Il ne les écoule ensuite qu'au compte-goutte, alors que la cote de Cézanne, décédé en 1906, n'a de cesse de croître. On peut aussi évoquer la figure de Paul Durand-Ruel et de ses fils qui se sont également intéressés à Cézanne et à Renoir.

Du côté des collectionneurs, le premier d'entre eux est Victor Chocquet, attentif au mouvement impressionniste dès sa naissance au milieu des années 1870. En 1875, conseillé par Auguste Renoir, Chocquet commence à acheter des tableaux de Cézanne. Très vite, une amitié s'installe entre ces hommes et il existe divers portraits du collectionneur par les deux artistes. Au début du XXe siècle, d'autres générations de grands collectionneurs associent par la suite ces deux noms, tels Leo Stein, Paul Guillaume, le docteur Barnes… La réunion des œuvres des deux maîtres dans ses collections par Guillaume aux côtés d'autres figures modernes est ici le prétexte de la présente exposition. Pour mieux comprendre l'articulation de ces deux figures artistiques avec les générations suivantes, il semble intéressant de revenir sur l'un des événements fondateurs de cette mise en relation, le Salon d'automne de 1904 à Paris.

Le Salon d'automne de 1904

Entre octobre et novembre 1904, le Salon d'automne à Paris consacre la salle III aux œuvres de Renoir, Cézanne et Toulouse-Lautrec. La foule se presse dans cet espace qui suscite un très fort engouement rapporté par le critique Louis Vauxcelles : « On s'écrase à la salle des Renoir et des Lautrec, et de Cézanne[11]. » Mais c'est véritablement le rapprochement entre les œuvres de Cézanne et de Renoir qui retient les faveurs de la critique. « Grâce à cette méthode [les rétrospectives], Cézanne et Renoir ont eu pour la première fois dans un Salon, une place correspondant à celle que, depuis longtemps, ils tiennent dans l'opinion de quelques amateurs éclairés[12]. » Cet événement marque le point de départ d'un rapprochement entre les deux peintres, qui se retrouvent encore dans la même salle au Salon d'automne de 1906 : « Dans la grande salle [...] un heureux classement associe à des honneurs pareils M. Renoir et Cézanne. Sous les auspices de ces deux contemporains illustres se range presque tout ce qu'il y a de jeune au Salon d'automne[13]. » Quelques années plus tard, en 1921, George Rivière explique : « Les peintres qui sont venus après eux ont eu parfaitement conscience de ce parallélisme et c'est ce qui explique pourquoi, lorsque fut fondé le Salon d'automne, les noms de Renoir et de Cézanne furent placés à côté au fronton du nouveau Salon[14]. » Les deux hommes se retrouvent ainsi érigés très tôt en figures tutélaires d'une certaine modernité[15]. Ce rapprochement entre Renoir et Cézanne s'affirme encore dans la littérature des années 1910-1920, pour peu à peu s'estomper ensuite. C'est alors chez les artistes tenants de la modernité figurative au XXe siècle et dans les collections qui les célèbrent qu'il faut chercher ces points de passage. Chacun à leur manière, ils ont considéré comme des guides ces deux peintres, et notamment Picasso qui explore successivement les voies singulières choisies par ces maîtres, mais on trouve également un héritage fécond dans les œuvres d'André Derain à Henri Matisse en passant par Maurice Denis ou Pierre Bonnard.

À la fin de sa vie, Cézanne déclare à Maurice Denis qu'il voulait faire de l'impressionnisme quelque chose de solide et de durable comme l'art des musées. Les œuvres des deux maîtres constituent aujourd'hui des jalons indispensables des grandes collections muséales des XIXe et XXe siècles. L'exceptionnelle collection du musée de l'Orangerie, en les associant à des artistes tels que Modigliani, Utrillo, Matisse, Picasso, Derain ou encore Laurencin, témoigne ainsi tout particulièrement de leur rôle de pivot vers la modernité.

[11] L. Vauxcelles, « Salon d'automne : le vernissage », *Le Gil Blas*, 15 octobre 1904, p. 1.
[12] J. Guérin, « Le Salon d'automne », *L'Ermitage*, décembre 1904, p. 310.
[13] *Ibid.* ; P. Jamot, « Le Salon d'automne », Gazette des beaux-arts, t. XXXVI, 1er décembre 1906.
[14] G. Rivière, *Renoir et ses amis*, Paris, Floury, 1921, p. 223.
[15] P. Perrin, « "Un éblouissement", Renoir au Salon d'automne (1904-1912) », *Histoire de l'art*, no 69, décembre 2011.

Le goût pour Renoir au début du XXe siècle : Paul Guillaume et la collection Walter-Guillaume au musée de l'Orangerie

par Cécile Girardeau
Commissaire

En 1921, le galeriste et collectionneur d'art Paul Guillaume (1891-1934) exhortait une jeune génération de peintres à se tourner vers les grands maîtres du passé pour trouver le renouveau de leur inspiration : « Qu'ils pensent à leurs anciens ; qu'ils se souviennent de Manet, de Cézanne, de Renoir [1] ! » Il se trouve alors à un tournant dans sa carrière de marchand d'art. La fin de la Grande Guerre marque l'essor d'un goût plus tourné vers la figure humaine et moins marqué par les expérimentations formelles des avant-gardes. Paul Guillaume, fervent défenseur de l'art moderne et des arts extra-occidentaux (qu'il est l'un des premiers galeristes à soutenir en France), avait déjà montré son enthousiasme pour des peintres tentés par une manière plus classique comme André Derain, dont il expose les œuvres dans sa galerie dès 1916. C'est l'une des particularités du goût de ce jeune galeriste. Une oscillation perpétuelle existe en effet dans ses choix entre l'avant-garde et sa radicalité et des maîtres plus anciens ou à la manière plus classique. Les photographies de ses différents appartements et leurs agencements témoignent de ces coexistences tout au long de sa vie. Aussi trouve-t-on dans sa collection personnelle des juxtapositions où les Renoir côtoient des Picasso cubistes, des Modigliani ou encore des statuettes africaines. En 1927, le critique d'art Tériade décrivait ainsi l'appartement du galeriste : « Regardez les Picasso nègres[2], dont les gris et les jaunes modulés remplissent les formes rigides ; des

Matisse spontanés comme des croquis, mais remplis d'éternité ; des petits et des grands Derain patinés avant de vieillir. De beaux Cézanne et tout un panneau de superbes Renoir tiennent la garde[3]. »

Il est important de souligner que le goût de Paul Guillaume pour Renoir est précoce et antérieur à sa rencontre avec le docteur Barnes, célèbre collectionneur américain, dont nous parlerons plus loin[4]. On en trouve

Fig. 1
Vue du salon de Paul Guillaume avenue de Messine en 1927
Photographie
Paris, Centre Pompidou-MNAM/CCI-Bibliothèque Kandinsky

---

[1] P. Guillaume, « Il n'y a pas de peintres », *L'Encrier*, 1er novembre 1921.
[2] Ce terme est alors courant dans la critique de l'époque et il est présent au sein de cette citation de 1927 pour évoquer l'influence des œuvres africaines sur les toiles de Picasso. Il ne reflète en rien les opinions de l'auteur du présent essai ou encore de l'EPMO.
[3] E. Tériade, « Nos enquêtes : entretien avec Paul Guillaume », Feuilles volantes, supplément à la revue *Cahiers d'art*, 1927, p. 6.
[4] Voir également l'essai d'Alice Marsal p. 31.

Fig. 2
La grande peinture contemporaine dans la collection Paul Guillaume : vue de la vaste salle d'exposition de la galerie Bernheim-Jeune en 1929, où les Renoir côtoient les Picasso.
Photographie
Don d'Alain Bouret. Paris, musée de l'Orangerie, Fonds Alain Bouret.
Paris, musée de l'Orangerie, Fonds Alain Bouret, inv. DOCOR 2011.0.63.1180

les traces dès la fin des années 1910. Les racines du goût particulier de Paul Guillaume pour Renoir sont probablement à chercher chez celui qui fut son mentor et qui l'introduisit dans les cercles artistiques parisiens, le grand poète et critique d'art Guillaume Apollinaire (1880-1918). Après la mort de celui-ci, le galeriste reste fidèle à l'esprit de celui qui fut son ami et son guide dans le monde des arts et se souvient de la leçon de l'écrivain qui déclarait à propos de Renoir qu'il était « le plus grand peintre de ce temps et l'un des plus grands peintres de tous les temps[5] ». Dans sa propre revue *Les Arts à Paris*, ostensiblement inspirée par celle d'Apollinaire et intitulée *Les Soirées de Paris*, Paul Guillaume publie dès 1919 des toiles de Renoir et commente ainsi celle qu'il a vue à la réouverture des salles du Louvre : « un portrait de Madame Charpentier par Renoir, œuvre de toute beauté », qu'il accompagne d'une image en pleine page. Bien d'autres reproductions des œuvres de Renoir suivent jusqu'à la fin de la parution de la

revue, un an après la mort du galeriste en 1935, dont de nombreuses sont issues de sa collection personnelle. Ce qui marque également un tournant pour le jeune galeriste est la réussite qu'il connaît dans ses affaires durant la Première Guerre mondiale. En effet, Paul Guillaume, de santé fragile, est réformé et se retrouve presque seul sur le marché de l'art moderne parisien durant les années de guerre. C'est à cette époque que sa galerie prend une ampleur considérable pour un si jeune marchand. Cette prospérité nouvellement acquise lui permet alors de considérer des achats d'une autre nature que ceux des jeunes peintres de l'avant-garde. Il peut dorénavant envisager d'acquérir des toiles d'artistes à la réputation très établie comme Paul Cézanne et Pierre-Auguste Renoir. Une lettre conservée dans le Fonds Alain Bouret au musée de l'Orangerie témoigne d'une tentative du marchand pour entrer en contact avec le peintre avant la mort de celui-ci. Le fils de l'artiste, Jean Renoir (le célèbre cinéaste), répond à Paul Guillaume de la part de son père, qui n'est plus en mesure d'écrire à cette époque : « Il sera très heureux de vous recevoir et de causer avec vous », et il ajoute : « Mais avant, je viens vous demander la grâce de ne pas lui parler d'achat de peinture. Son état de santé fait qu'il travaille avec une difficulté extrême, et il tient à garder ce qu'il a tant de mal à produire[6]. » Nous ne savons pas si la rencontre a effectivement eu lieu. Le plus plausible est que Paul Guillaume ne conclue pas d'accord pour des achats de toiles avec la famille Renoir à cette époque et que c'est tout d'abord par d'autres biais qu'il acquiert des œuvres du maître au début des années 1920.

Après la mort du poète Guillaume Apollinaire, une autre rencontre s'est révélée déterminante dans la carrière de Paul Guillaume et a confirmé son attrait pour Renoir,

[5] G. Apollinaire, « Chronique d'art. Les Futuristes », *Le Petit Bleu*, 9 février 1912, Pr 2, p. 412.
[6] Lettre datée du 29 février [sans année], Fonds Alain Bouret, musée de l'Orangerie.

celle du docteur Albert Barnes (1872-1951). Riche collectionneur américain, fasciné par l'œuvre de Renoir, il vient en Europe, et plus précisément à Paris, régulièrement au début des années 1920 afin d'enrichir sa collection dans le but d'ouvrir sa fondation, où chacun pourra admirer les chefs-d'œuvre qu'il a rassemblés. La légende veut, selon les souvenirs de Max Jacob[7], que le docteur Barnes se soit réfugié par hasard un jour de pluie dans la galerie de Paul Guillaume et qu'il aurait été ébloui par les œuvres que l'on pouvait y voir. Dans un petit article publié tout d'abord dans le bulletin de la Fondation Barnes, puis dans *Les Arts à Paris*, il écrit non sans emphase : « Sa Galerie est maintenant La Mecque, non seulement de tous les créateurs de France, mais encore d'Amérique, du Japon, d'Angleterre et de tous les pays continentaux[8]. »

Dès lors, Paul Guillaume devient un intermédiaire privilégié qui négocie pour le compte du docteur Barnes l'achat de nombreuses toiles, ainsi que d'œuvres d'art extra-occidentales à Paris. Il a coutume d'envoyer ses sélections par voie de poste à Barnes assorties de leurs reproductions et des prix demandés. Dans une lettre du 9 novembre 1922, il écrit à Barnes suite à une liste d'œuvres proposées : « d'autres envois suivront ; je pense que dans certains cas les prix pourront être baissés[9] ». Il prend une faible commission sur les achats effectivement réalisés par le docteur[10]. Barnes acquiert à cette époque grâce au jeune galeriste certaines productions de Renoir. Le docteur est en effet fasciné par cet artiste dont il a déjà acquis plus d'une centaine d'œuvres avant leur rencontre, notamment par la galerie Durand-Ruel. Les provenances des œuvres de Renoir achetées à cette époque par l'intermédiaire de Paul Guillaume sont diverses. Ainsi, le galeriste fait part des progrès des négociations avec les fils de Renoir pour un tableau dans une lettre du 6 avril 1923 :

« Baigneuses Renoir : Reçu votre second câblogramme. Ai téléphoné aussitôt à Pierre Renoir qui me renvoie à Jean Renoir »[11] ou encore, dans une lettre du 19 novembre 1924, Paul Guillaume analyse pour Barnes les signes du marché des œuvres de Renoir à l'époque : « Je vais probablement avoir l'opportunité, grâce à l'intervention d'un rentoileur, d'acheter un certain nombre de peintures de la succession Renoir [...] Le rentoileur se demande si la vente Gangnat[12] n'aura pas une influence sur le prix dans un sens ou dans l'autre. C'est pourquoi les gens sont hésitants[13]. » À laquelle Barnes répond le 2 décembre 1924 : « J'ai reçu votre lettre affirmant qu'il y avait une possibilité pour vous d'obtenir un certain nombre de Renoir par ses héritiers. Je doute que Jean Renoir ait assez de peintures de première qualité pour vous intéresser ; mais si c'est Pierre Renoir, il a un lot splendide et il serait plus facile de faire une bonne sélection[14]. »

Paul Guillaume organise en 1923 une grande exposition dans sa galerie de la rue La Boétie d'œuvres récemment acquises par Barnes, avant leur départ imminent pour les États-Unis. Sculptures et peintures de différents artistes y sont présentées. Le carton précise :

Exposition
Du 22 janvier au 3 février 1923
à la Galerie Paul Guillaume
59 Rue La Boétie
Des acquisitions récentes de
LA BARNES FOUNDATION
Œuvres de : [DE] CHIRICO, DAUMIER, DERAIN, GRETCHENKO, HAYDEN, KISSLING, LAGUT, LIPSCHITZ, LOTIRON, MANET, MATISSE, MODIGLIANI, PASCIN, PERDRIAT, REDON, RENOIR, SOUTINE, UTRILLO, VAN GOGH, ZADKINE.

---

[7] « Albert C. Barnes était rentré chez Paul Guillaume pour s'abriter de la pluie, rue Miromesnil » : Max Jacob cité dans C. Giraudon, *Paul Guillaume et les peintres du xxᵉ siècle*, Paris, La Bibliothèque des arts, 1993, p. 80.

[8] Les Arts à Paris, cité dans Giraudon, *Paul Guillaume et les peintres*, p. 87.

[9] Fonds documentaire du musée de l'Orangerie, extraits de la correspondance entre Barnes et Paul Guillaume issus du fonds d'archives de la Barnes Foundation.

[10] Fonds documentaire du musée de l'Orangerie, extraits de lettres de compte : dans l'une d'elles, Paul Guillaume demande une commission de 5 % sur le prix de vente (5 janvier 1923).

[11] Fonds documentaire du musée de l'Orangerie, extraits de la correspondance entre Barnes et Paul Guillaume issus du fonds d'archives de la Barnes Foundation.

[12] Renoir rencontre Maurice Gangnat (1856-1924) en 1904. Celui-ci devient un important collectionneur de Renoir et un proche de la famille (voir *Gabrielle à la rose*).

[13] Traduit de l'anglais par l'auteur, « I am possibbly [sic] going to have the opportunity, through the intervention of a rentoileur, to buy a certain number of painting [sic] of Renoir succession [...] The reliner wonders if the Gangnat sale is going to have an influence on the price in wathever [sic] sense. This is why people are hesitant », dans M. Lucy, « Renoir's Studio and Its Afterlife », dans Renoir in the Barnes Foundation, New Haven-Londres, Yale University Press in association with The Barnes Foundation, 2012, p. 53.

[14] Traduit de l'anglais par l'auteur, « I received your letter stating there was a possibility of your obtaining a number of Renoirs from one of their heirs [...] I doubt if Jean Renoir has enough of the first quality paintings to interest you ; but if it is Pierre Renoir, he has a splendid lot and it would be easier to make a good selection », dans *Renoir in the Barnes Foundation*, note 30, p. 65.

Renoir figure effectivement dans cette exposition. Ce qui ne sera paradoxalement pas le cas lors de celle organisée par le docteur Barnes après la traversée des œuvres de l'autre côté de l'Atlantique, où ce dernier mettra plus en avant les peintres de l'avant-garde acquis à Paris. Mais une fois la fondation construite, Barnes met Renoir à l'honneur dans sa présentation permanente, qui rassemble encore aujourd'hui non moins de 181 toiles du maître.

Si l'époque des transactions pour le compte du docteur Barnes ne se traduit pas forcément par un nombre très important d'achats de Renoir en comparaison des œuvres modernes qu'il lui a fournies, il est cependant certain que celle-ci a définitivement confirmé le goût de Paul Guillaume et de sa femme pour les œuvres de la maturité de Renoir. C'est probablement la raison pour laquelle de nombreux observateurs ont perçu de grandes similitudes dans ces deux collections faisant la part belle au maître ainsi qu'aux œuvres de sa maturité.

Même si le docteur Barnes et le jeune marchand se brouillent au début de l'année 1928, l'histoire se poursuit en Europe avec Paul Guillaume. Grâce aux contacts établis avec les fils de Renoir durant les négociations pour Barnes, en décembre 1928 le marchand accueille dans sa galerie de Londres, au 73 de Grosvenor Street, une grande exposition d'œuvres de Renoir issues des collections des fils de l'artiste[15]. Cette manifestation est intitulée *Paintings by Renoir and Other Modern Artists* et présente 66 pièces en tout, dont 35 peintures et 14 dessins de Renoir accompagnés d'œuvres de Derain, Picasso, Cézanne, Matisse, Sisley, Le Douanier Rousseau, Corot et Manet. En créant des ponts avec de nombreuses œuvres d'art plus anciennes ou bien résolument modernes, Paul Guillaume place ainsi les œuvres de Renoir dans des jeux de correspondances singulières et des affinités électives situant délibérément le peintre dans une histoire de la modernité.

C'est donc parallèlement à la création de ces liens avec le docteur Barnes que Paul Guillaume enrichit à cette époque considérablement sa collection privée d'œuvres du maître, dans le but d'en céder plusieurs au docteur Barnes, mais aussi et surtout par goût personnel. De cette époque restent donc de nombreux tableaux de Renoir dans la collection personnelle du marchand. Nous en avons une trace précise car Guillaume avait l'habitude, lorsqu'il faisait l'acquisition d'une œuvre, de coller sa reproduction dans un album. Dans une lettre datée du 13 août 1926, Paul Guillaume fait d'ailleurs part au peintre Henri Matisse de son projet de publier « un album très important de reproduction des œuvres qui ont été ou qui sont en ma possession[16] », ce qui ne fut cependant jamais mis à exécution, probablement à cause de la mort précoce du galeriste. Les exemplaires des albums nous permettent d'établir qu'au moins 55 œuvres de Renoir sont passées par ses mains jusqu'en 1934, pour le fonds de sa galerie ou pour sa collection personnelle. On y trouve des chefs-d'œuvre et notamment des pièces emblématiques de la maturité du peintre. En effet, Paul Guillaume a concentré plutôt ses choix sur des œuvres datant d'après la période impressionniste. Différents sujets ont retenu l'attention du marchand : des portraits représentant en majorité des femmes et des enfants – dont le portrait de *Claude Renoir en clown* (Cat. 3) ou encore la première esquisse à l'huile des *Jeunes filles au piano* (Cat. 1) –, des nus féminins, des natures mortes et des paysages.

Si Paul Guillaume est galeriste, il se révèle également être un collectionneur passionné. Il s'entoure entre autres d'œuvres de Renoir dans son appartement et en fait un compagnon de son cadre intime. Il occupe successivement plusieurs appartements parisiens dont certaines photographies conservées[17] montrent les agencements et les œuvres d'art qui s'y trouvaient. Ainsi, dans les vues de son appartement de l'avenue de Messine, qu'il occupe dans la seconde moitié des années 1920, les œuvres de Renoir tiennent une place de choix par leur nombre et par leur qualité. La femme puis veuve de Paul Guillaume, après le décès prématuré de celui-ci en octobre 1934, va accentuer la place de Renoir dans la collection laissée par le jeune marchand. Juliette Lacaze, dite Domenica, l'avait épousé en 1920 et s'était tout de suite intéressée à l'art et au collectionnisme. Après la mort de son mari, elle procède à divers remaniements, vendant certaines pièces et en achetant d'autres. Elle effectue des achats remarquables d'œuvres de Renoir. On lui doit notamment l'acquisition de *Yvonne et Christine*

---

[15] « The Renoir's sons sent their collections out for exhibitions at various galleries, including a show at Flechtheim in Berlin in 1927, and another at Paul Guillaume's London gallery in 1928 », dans Lucy, « Renoir's Studio and Its Afterlife ».
[16] Lettre de Paul Guillaume à Henri Matisse, 13 août 1926, Fonds Alain Bouret, musée de l'Orangerie.
[17] Le fonds documentaire du musée de l'Orangerie conserve des photographies et des copies de photographies des différents intérieurs de Paul Guillaume et Juliette Lacaze, dite Domenica.

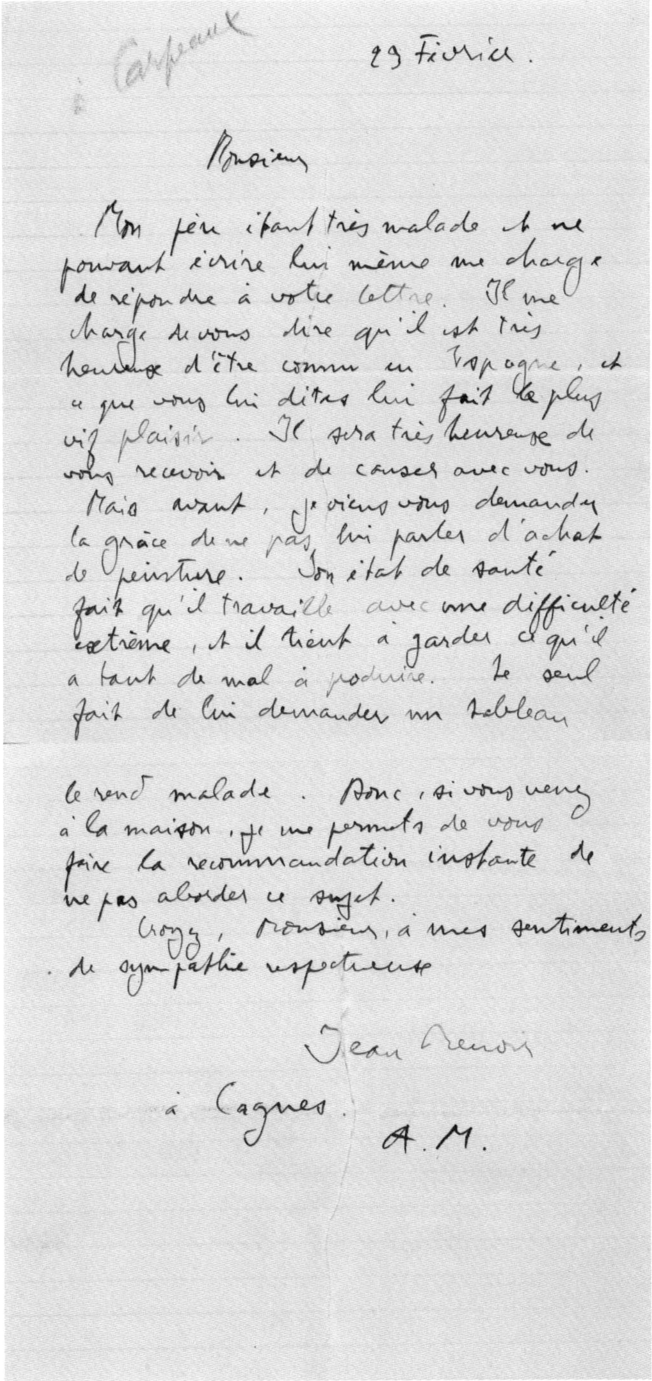
à Carpeaux

29 Février.

Monsieur

Mon père étant très malade et ne pouvant écrire lui même me charge de répondre à votre lettre. Il me charge de vous dire qu'il est très heureux d'être connu en Espagne, et ce que vous lui dites lui fait le plus vif plaisir. Il sera très heureux de vous recevoir et de causer avec vous.

Mais avant, je viens vous demander la grâce de ne pas lui parler d'achat de peinture. Son état de santé fait qu'il travaille avec une difficulté extrême, et il tient à garder ce qu'il a tant de mal à produire. Le seul fait de lui demander un tableau le rend malade. Donc, si vous venez à la maison, je me permets de vous faire la recommandation instante de ne pas aborder ce sujet.

Croyez, Monsieur, à mes sentiments de sympathie respectueuse

Jean Renoir

à Cagnes. A.M.

Lerolle au piano (Cat. 37), qu'elle obtient d'abord en compte à demi-part avec Durand-Ruel lors de la vente du 10 juin 1937 à l'Hôtel Drouot à Paris. Puis, elle négocie finalement la part manquante et acquiert ainsi la propriété pleine et entière de la toile. Les photographies de son appartement de la rue du Cirque, dans le 8e arrondissement de Paris, montrent également son goût incontestable pour l'œuvre de Renoir réunissant les acquisitions de son premier époux et les siennes. On ne peut d'ailleurs pas toujours attribuer avec certitude qui de Paul Guillaume ou de sa femme est à l'origine de divers Renoir de la collection. Certains pourraient être entrés du vivant de Paul Guillaume, ou bien après sa mort grâce à sa veuve, comme c'est le cas pour *Bouquet dans un loge* (Cat. 13) présenté dans l'exposition.

Paul Guillaume puis sa veuve ont réussi à rassembler un ensemble remarquable de toiles du peintre, en mettant l'accent sur celles de la maturité. Avec 24 œuvres au total, Renoir est actuellement le deuxième artiste le plus représenté de la collection Walter-Guillaume du musée de l'Orangerie, après Derain. À l'instar de certaines autres grandes collections telles celles de Leo ou Gertrude Stein ou de Louise et Walter Arensberg, Renoir y apparaît confronté aux grands maîtres de l'avant-garde du début du XXe siècle, mettant de la sorte l'accent sur ce que sa peinture ouvrait comme voie à la modernité et affirmant l'idée forte d'une filiation avec la génération suivante. La collection Walter-Guillaume fait ainsi dialoguer les-peintures de Renoir aussi bien avec les grandes baigneuses de Picasso qu'avec les odalisques de Matisse, faisant de l'œuvre du maître le substrat fertile d'une certaine modernité.

Fig. 3
Jean Renoir à Paul Guillaume, 29 février [sans année].
Don d'Alain Bouret.
Paris, musée de l'Orangerie, Fonds Alain Bouret

Postérités de Renoir : un classique dans l'atelier des modernes[1] ?

par Claire Bernardi
Directrice du musée de l'Orangerie

Le 5 février 1912 s'ouvre à la galerie Bernheim-Jeune la première exposition des futuristes italiens à Paris. Guillaume Apollinaire, dans sa revue de l'événement, consacre en quelques mots bien pesés la rupture qui semble désormais consommée entre les « artistes modernes » et l'ancienne génération, incarnée par Pierre-Auguste Renoir, ce « vieux maître » qui appartiendrait désormais à l'histoire : « Tandis que le vieux Renoir, le plus grand peintre de ce temps et l'un des plus grands peintres de tous les temps, use ses derniers jours à peindre ces nus admirables et voluptueux qui feront l'admiration des temps à venir, nos jeunes artistes ignorent l'art du nu qui est au moins aussi légitime qu'aucun autre[2]. »

Dix ans plus tard, le 28 janvier 1922, est inaugurée au Grand Palais des Champs-Élysées la trente-troisième édition du Salon des Indépendants, où le nu « abonde[3] ». La même année, dans une galerie parisienne, une « Exposition [...] du nu féminin[4] » réunit autour de ce thème académique des œuvres d'Ingres, de Corot ou Puvis de Chavannes, aux côtés de celles de Cézanne, Renoir, mais aussi Matisse et Picasso. Au Salon d'automne de 1922, toujours, les envois de Léger, Maillol et Zadkine, comme de Braque, peuvent être fédérés sous la bannière de la figuration classique[5]. Le temps semble avoir donné raison à Apollinaire : en l'espace de dix ans à peine, la jeune génération de peintres opère un retour fracassant aux sources de la peinture figurative. Baigneuses géantes aux accents sculpturaux de Picasso, *Canéphores*[6] néoclassiques de Braque, odalisques voluptueuses de la période niçoise de Matisse, « retour au métier » d'un De Chirico prenant pour devise *Pictor classicus sum*[7] : doit-on voir dans ces déclarations picturales ce que Roger Bissière, bientôt suivi par Jean Cocteau, qualifiera de « rappel à l'ordre[8] » ? Le phénomène est complexe et, au-delà de l'évidence du constat – une prévalence de la figure humaine aux accents classiques dans la production artistique de l'entre-deux-guerres – et des prises de position esthétiques partisanes, il serait hasardeux d'y voir un mouvement bien constitué. Les sources auxquelles puisent les artistes de ce grand retour aux maîtres sont diverses, leurs esthétiques parfois contradictoires. À côté de leurs emprunts récurrents à un certain classicisme français (l'importance accordée au travail de la ligne, à Poussin ou au grand Ingres), à côté des références à l'antique, certains artistes de cette avant-garde turbulente du début du siècle portent un regard attentif sur les maîtres modernes qui les ont directement précédés, qu'ils ont côtoyés.

---

[1] Ce texte reprend en partie un premier essai rédigé par l'auteure dans *Renoir : chefs-d'œuvre des musées d'Orsay et de l'Orangerie*, catalogue de l'exposition, Tokyo, The National Art Center, 2016, pp. 240-244.

[2] G. Apollinaire, « Chroniques d'art. Les Futuristes », *Le Petit Bleu*, 9 février 1912, dans *Œuvres en prose complètes*, textes établis, présentés et annotés par Michel Decaudin, Paris, Gallimard, 1977, p. 412.

[3] « Le nu, d'ailleurs, abonde cette année » : C. Roger-Marx, « Le 33e Salon des Indépendants », *Art et décoration, revue mensuelle d'art moderne*, t. XLI, janvier-juin 1922, p. 67.

[4] Exposition rétrospective du Nu féminin, d'Ingres à nos jours, catalogue de l'exposition, Paris, galerie Styles, 1922. Exposition organisée par le comte de Jouvencel, catalogue préfacé par Louis Vauxcelles.

[5] Sur ce point, et particulièrement sur les nus monumentaux (Cariatides) de Braque, voir C. Green, « L'anticlassique dans le "classique" », dans Braque, catalogue de l'exposition, Paris, Grand Palais, Réunion des musées nationaux–Grand Palais, 2013, p. 108.

[6] *Canéphores*, deux panneaux décoratifs, 1922-1923, Paris, Musée national d'art moderne, Centre Pompidou.

[7] « Je suis un peintre classique » : Giorgio de Chirico, « Il ritorno al mestiere » [Le retour au métier], Valori Plastici, no 11-12, 1919.

[8] En mars 1919, le jeune peintre et critique Roger Bissière rend compte de l'exposition de Georges Braque à la galerie de l'Effort moderne en ces termes : « Le cubisme me paraît être venu comme une réaction salutaire, comme un rappel à l'ordre, en un moment où la peinture se confinait dans une imitation imbécile et sans espoir » (*L'Opinion* du 29 mars). L'expression, adoptée par Jean Cocteau dans son recueil publié en 1926, *Le Rappel à l'ordre : discipline et liberté*, sera reprise comme un mot d'ordre.

Parmi eux se dégagent nettement, dès le tournant du siècle, deux figures tutélaires, érigées en pères de la modernité : Cézanne et Renoir. Mais alors que le Salon d'automne de 1904 consacrait l'influence de Cézanne sur la jeune peinture[9], de longues années semblent avoir été nécessaires pour que celle de Renoir s'exerce, ou tout du moins soit rendue visible. Ainsi Matisse peut-il déclarer en 1918 : « L'œuvre de Renoir, après celle de Cézanne dont la grande influence s'est tout d'abord manifestée chez les artistes, nous sauve de l'abstraction pure en ce qu'elle a de desséchant[10]. » Là encore, la prédiction d'Apollinaire se serait donc révélée : est enfin venu le temps où le vieux Renoir, qui usa « ses derniers jours à peindre ces nus admirables et voluptueux », fait l'admiration des temps présents. Dans l'œuvre de Matisse en effet, mais aussi de Picasso ou d'autres artistes de cette génération, l'entre-deux-guerres est marqué par la redécouverte de l'œuvre du maître – particulièrement de ses baigneuses.

La tentation est grande de lier ces deux phénomènes : le renouveau de l'intérêt pour Renoir serait à comprendre dans le contexte du tournant pris par l'avant-garde dans l'entre-deux-guerres, bientôt rassemblée sous la bannière du « retour à l'ordre ». L'œuvre – comme la vie – de Renoir aurait ainsi servi de modèle de crise ou de réaction pour ces artistes en plein doute sur l'issue « desséchante » de leurs expérimentations radicales. Incontestablement, l'hommage rendu à Renoir dans les années suivant sa mort (en 1919) par les acteurs du monde de l'art – galeristes, collectionneurs ou peintres – est marqué par ce contexte esthétique : on le chante comme le dernier des impressionnistes, et son œuvre se voit classée dans la tradition française, celle des nus classicisants de Boucher, Ingres ou Chavannes.

Pourtant, placer Renoir du côté du « retour à l'ordre » serait réducteur, voire erroné[11]. Ce serait d'abord ignorer le regard porté sur son œuvre par ses jeunes contemporains dans les premières années du xxᵉ siècle ; ce serait également refuser de voir la complexité et la diversité de ce moment réduit parfois trop rapidement au retour à la tradition. Il faut donc remettre en perspective le rôle joué par Renoir dans l'art du premier xxᵉ siècle : un rôle que nous qualifierions plus volontiers de libérateur que de prescripteur.

« Picasso, Braque, Derain, Matisse en étaient fous[12] »

En 1904, pour la deuxième édition du jeune Salon d'automne, les organisateurs proposent au visiteur un ensemble d'expositions monographiques consacrées aux maîtres modernes. Trente-cinq œuvres de Renoir (33 peintures et 2 dessins) sont rassemblées pour l'occasion. Renoir s'étant longtemps absenté des cimaises des Salons parisiens, cette exposition en est d'autant plus exceptionnelle. Si l'histoire de l'art plus récente a surtout retenu l'impact de la rétrospective de Cézanne, concomitante, sur les avant-gardes du début du siècle, les œuvres de Renoir connaissent alors un grand succès. Ses nus féminins notamment, nombreux dans cet accrochage, séduisent aussi bien la critique que le public du Salon[13]. En dépit de ce qu'aurait souhaité le peintre[14], c'est principalement son œuvre impressionniste[15] qui est montrée par son galeriste Durand-Ruel, en charge de l'organisation de la rétrospective. Mais Renoir est à nouveau présent aux Salons d'automne de 1905 et 1906, et s'implique cette fois personnellement dans la préparation de ces nouvelles éditions, proposant ses nus plus récents, peints dans son domaine des Collettes, à Cagnes[16].

[9] Cézanne comme Renoir bénéficient lors du Salon d'automne de 1904 de présentations « rétrospectives » de leur œuvre.

[10] Henri Matisse dans W. Halvorsen, *Exposition d'art français des xixᵉ et xxᵉ siècles*, catalogue de l'exposition, Oslo, 1918, pp. 12-13 ; cité par C. Debray, A. Quesnel et A. Hiddleston, « Matisse en son temps. Choix de lettres, propos et témoignages », dans Matisse en son temps, catalogue de l'exposition, Martigny, Fondation Pierre Gianadda, 2015, p. 252.

[11] Sur ce point, voir l'analyse de S. Patry, « On doit faire la peinture de son temps », dans Renoir au xxᵉ siècle, catalogue de l'exposition, Paris, Réunion des musées nationaux-Grand Palais, 2009, p. 362.

[12] Leo Stein au docteur Barnes, 20 avril 1921, Archives Barnes, cité dans *L'Aventure des Stein : Matisse, Cézanne, Picasso…*, catalogue de l'exposition, Paris, Réunion des musées nationaux-Grand Palais, 2011, p. 110.

[13] Voir l'étude de P. Perrin sur le sujet, *Renoir au Salon d'automne* (1904-1920), mémoire d'étude de l'École du Louvre, Paris, 2008.

[14] « À vrai dire, ce n'est pas moi qui expose, mais Durand-Ruel qui m'a demandé de lui permettre d'envoyer plusieurs de mes anciennes toiles. J'aurais préféré personnellement exposer des toiles nouvelles, quoique, au fond, je sois un peu las de faire des envois. » Propos rapportés par C. L. de Moncade dans son entretien « Le peintre Renoir et le Salon d'automne », *La Liberté*, 15 octobre 1904. Publié dans *Renoir. Écrits, entretiens et lettres sur l'art*, textes réunis, présentés et annotés par A. de Butler, Paris, Les Éditions de l'Amateur, 2002, p. 11.

[15] L'œuvre la plus récente qui y ait été présentée serait sa *Baigneuse endormie* (1897, Winterthur, Sammlung Oskar Reinhart) ; voir notamment A. de Butler, « 1900-1907, Renoir et Picasso », dans *Revoir Renoir*, catalogue de l'exposition, Martigny, Fondation Pierre Gianadda, 2014, p. 54.

[16] En 1906, il fait envoyer de Cagnes « une caisse avec un tableau pour le Salon d'automne », cité par P. Perrin, « "Un éblouissement", Renoir au Salon d'automne (1904-1912) », *Histoire de l'art*, no 69, décembre 2011, p. 128.

Fig. 1
Pierre-Auguste Renoir
La Blanchisseuse et son enfant
1886, huile sur toile
81,3 × 65 cm
Philadelphia, The Barnes Foundation

Fig. 2
Henri Matisse
Femme au chapeau
1905
Huile sur toile, 80,65 × 59,69 cm
San Francisco, Museum of modern Art, Legs de Elise S. Haas

Les peintres de la nouvelle génération parcourent bien entendu les allées des Salons ; mais c'est aussi dans l'atelier où Gertrude et Leo Stein tiennent salon à Paris à partir de 1906, rue de Fleurus, qu'ils peuvent admirer les derniers Renoir achetés par le frère et la sœur chez Ambroise Vollard, ou bientôt chez Bernheim-Jeune. Leo Stein raconte ainsi dans ses mémoires l'acquisition en 1908, sur un coup de tête, de *La Blanchisseuse et son enfant*, repérée par Picasso et Braque dans la vitrine de la galerie Bernheim-Jeune[17]. Il confiera à Alfred Barnes, à qui il revend l'œuvre en 1921, à quel point « Picasso, Braque, Derain, Matisse et d'autres en étaient fous[18] ». Ce lien qui semble unir la jeune avant-garde à l'œuvre de Renoir, les Stein sont les premiers à le rendre visible, parfois même avant les artistes : c'est ainsi que, sur les murs de la rue de Fleurus, Leo et Gertrude accrochent en pendant la *Femme au chapeau* de

[17] Leo Stein, *Journey into the Self: Being the Letters, Papers and Journals of Leo Stein*, 1950, p. 19, cité dans L'Aventure des Stein, p. 110.
[18] Leo Stein au docteur Barnes, 20 avril 1921, Archives Barnes, cité dans *L'Aventure des Stein*, p. 110.
[19] Voir les notices de ces deux œuvres dans *L'Aventure des Stein*, p. 48, cat. 30, et p. 112, fig. 42.

Fig. 3
Pierre-Auguste Renoir
Femme en gris-bleu mettant ses gants
Vers 1889
Huile sur toile, 66,5 × 52 cm
Philadelphia, The Barnes Foundation

acquis par Durand-Ruel en 1901 avant d'être acheté dès 1905 par les frères Josse et Gaston Bernheim-Jeune, qui le conservent dans leur collection particulière jusqu'en 1935[21]. Rapprochons-le de *La Coiffure* de Matisse et de l'œuvre éponyme de Picasso : au-delà du sujet, les mêmes éléments ordonnent la composition de la toile de Picasso, un jeune garçon remplaçant la nature morte présente au premier plan de la toile de Renoir. Matisse quant à lui reprend presque à l'identique la composition de Renoir, mais également, par le biais du cerne noir, l'articulation des membres du corps nu de la jeune femme, et jusqu'au jeu d'oppositions des zones de clarté et d'ombre. Ainsi, si les solutions plastiques adoptées par les deux peintres divergent, en ces années de transition pour leurs créations respectives, elles semblent se rejoindre autour de ce que l'on pourrait identifier comme leur source commune.

Ce tableau serait incomplet cependant si l'on passait sous silence l'importance de l'œuvre d'Ingres pour ces peintres. On a souvent relevé l'impact qu'a eu sur Picasso la découverte du *Bain turc* (1862, Paris, musée du Louvre) lors de la rétrospective du maître français au Salon d'automne de 1905, une empreinte précisément visible dans *La Coiffure* de 1906. On a aussi observé l'emprunt par Matisse des arabesques formées par les nus du même *Bain turc* pour sa *Joie de vivre* ; on retrouve aussi dans sa propre *Coiffure* le même souci de la ligne claire et de la peinture plate. Le dialogue avec la peinture de Renoir semble ainsi devenir une conversation à quatre, au-delà des générations. Serait-ce la source ingresque de Renoir qu'auraient exploitée Picasso comme Matisse ? Dans cette hypothèse, ce serait alors chez Renoir comme chez Ingres un certain classicisme de la ligne qui les a retenus.

Matisse et la *Femme en gris-bleu mettant ses gants* de Renoir, qu'ils ont possédé ensemble entre 1907 et 1913[19].

Mais c'est autour d'une toile tardive de Renoir, la *Toilette de la baigneuse*[20], que l'on pourrait déceler le premier véritable dialogue pictural entre les œuvres de la jeune génération et celle du vieux maître. Matisse comme Picasso ont probablement pu voir ce tableau,

« Quelle idée on a de faire entrer un autre peintre dans l'atelier[22] ! »

Picasso, quelques années plus tard, revient sur cette filiation de l'œuvre du maître moderne avec celle des maîtres classiques, de Renoir et Ingres ; mieux, cette fois-ci, il s'inscrit dans cette filiation et la revendique : quelques mois avant la mort de Renoir, il inclut ainsi dans son exposition à la galerie Paul Rosenberg trois

---

[20] Nous reprenons pour la datation de cette œuvre les conclusions de M. Lucy dans M. Lucy et J. House, *Renoir in the Barnes Foundation*, New Haven-Londres, Yale University Press in association with The Barnes Foundation, 2012, p. 159.
[21] Les artistes ont pu voir cette œuvre dans la collection particulière Bernheim-Jeune entre 1905 et 1935, avant son acquisition par le docteur Barnes. La grande esquisse préparatoire à ce tableau, *La Coiffure* ou *La Toilette de la baigneuse* (1900-1901, Musée national Picasso-Paris), a été acquise par Picasso des années plus tard.
[22] Pablo Picasso cité par H. Parmelin, *Voyage en Picasso*, Paris, Christian Bourgois, 1994, p. 77.

l'artiste. Picasso renvoie donc indifféremment à une œuvre de Renoir ou à une photographie de l'artiste pour lui rendre hommage : ce geste signifie-t-il qu'autant que la peinture de Renoir, c'est sa vie qui inspire Picasso, et qu'il représente pour lui un répertoire iconographique plus qu'il n'exerce sur lui une réelle influence ?

Au tout début des années 1920, Picasso développe ce dialogue avec le maître, dont il achète les œuvres pour sa propre collection personnelle. Ainsi, *Eurydice* (*Baigneuse assise dans un paysage*) (1895-1900, Musée national Picasso-Paris), acquise auprès du marchand

Fig. 4
Pierre-Auguste Renoir
Toilette de la baigneuse
1900-1901
Huile sur toile, 145,5 × 97,5 cm
Philadelphia, The Barnes Foundation

Fig. 5
Henri Matisse
La Coiffure
1907
Huile sur toile
116 × 89 cm
Stuttgart, Staatsgalerie

dessins « d'après Ingres et Renoir[23] ». À l'annonce de sa mort plus encore, Picasso lui rendra un hommage appuyé dans son œuvre. C'est ce que montrent son *Portrait de Renoir* (1919-1920, Musée national Picasso-Paris) et les dessins d'après *Les Fiancés* de Renoir (*Le Ménage Sisley*, 1919, Musée national Picasso-Paris), tous réalisés à partir de photographies collectées par

[23] Sous les nos 165 à 167 du livret : préface par André Salmon qui accompagne *l'Exposition de dessins et aquarelles par Picasso*, Paris, galerie Paul Rosenberg, octobre-novembre 1919.

Paul Rosenberg dès le commencement des années 1920, a un lien direct avec son *Nu assis s'essuyant les pieds* (1921, Berlin, Nationalgalerie, Museum Berggruen) mais aussi avec la *Grande baigneuse* du musée de l'Orangerie (1921). Il semblerait ainsi que Picasso se soit procuré cette toile, comme plusieurs autres du Renoir tardif, parce qu'elle rejoignait ses préoccupations du moment : elle venait confirmer l'orientation prise alors par sa peinture – c'est le Renoir des dernières années qu'il regarde, celui des baigneuses aux formes pleines – tout en proposant une source nouvelle pour ses créations à venir.

Matisse, comme Picasso, attendra de nombreuses années avant de renouer le dialogue entamé avec Renoir autour de 1905. C'est la lumière du Sud qui rapproche finalement les deux peintres : contrairement à Picasso, qui ne rencontra jamais le vieux maître[24], Matisse, en voisin (il séjourne alors à Nice) lui rend régulièrement visite dans sa villa des Collettes, à Cagnes, de la fin de l'année 1917 à sa mort[25]. Il converse avec le maître, vient admirer ses dernières toiles, soumet parfois à son jugement ses propres œuvres. Cette relation entre les deux hommes a naturellement eu un impact sur l'œuvre même de Matisse, et l'influence de Renoir sur les odalisques de la période niçoise de l'artiste a souvent été relevée. Il a d'ailleurs lui-même confié à plusieurs reprises son admiration pour les toiles réalisées par Renoir dans ses dernières années, et particulièrement ses *Baigneuses*[26].

Fig. 6
Pablo Picasso
La Coiffure
1906
Huile sur toile, 175,3 × 100 cm
Fonds Wolfe, 1951, acquis par The Museum of Modern Art, Don anonyme
New York, The Metropolitan Museum of Art

---

[24] Un rendez-vous arrangé entre les deux hommes par Paul Rosenberg, quelques mois avant la mort de Renoir, n'aura finalement jamais abouti : H. Seckel-Klein dans *Voyage en Picasso*, p. 202.
[25] Pour approfondir le sujet des rencontres entre les deux artistes aux Collettes, voir Augustin de Butler, « Matisse aux Collettes », dans *Renoir et les familiers des Collettes*, catalogue de l'exposition, Cagnes-sur-Mer, musée Renoir, 2008, pp. 111-116.
[26] Cité par F. Harris, *Henri Matisse and Renoir, Master Painters*, New York, 1923, et par A. Butler, « Matisse, Renoir, et *La Danse* de Barnes », dans *Matisse en son temps*, p. 116.

Fig. 7
Henri Matisse
La Joie de vivre
1905 – 1906
Huile sur toile, 176,5 × 240,7 cm
Philadelphia, The Barnes
Foundation

« Renoir en bloc » ?

La référence à Renoir apparaît donc bien avoir eu une fonction libératrice pour les artistes de la modernité : Renoir était pour eux, d'abord, un peintre qui avait osé, et su, renouveler son style. Alors que la critique contemporaine de Renoir, comme l'histoire de l'art jusqu'à une période très récente, a eu tendance à déprécier le Renoir tardif, ces artistes ont au contraire redécouvert son œuvre à l'aune de cette nouvelle étape de sa création. C'est justement dans les moments de réorientation de leurs propres pratiques artistiques qu'ils se sont tournés vers lui.

Édouard Vuillard avait suggéré en 1933, à l'occasion de la rétrospective de l'œuvre de Renoir à l'Orangerie des Tuileries, de prendre « Renoir en bloc[27] ». On pourrait comprendre cette proposition, en considérant justement que c'est la diversité même des manières de Renoir qui invite les artistes de l'avant-garde à le considérer comme un maître. S'ils lui font endosser le rôle de maître de la modernité, c'est dans la mesure où il se joue des catégories et des classifications, même des siennes.

---

[27] Je me rapporte ici à la question soulevée par Sylvie Patry et reprends sa citation des propos de Vuillard qui figure dans son essai « On doit faire la peinture de son temps », dans *Renoir au xxᵉ siècle*, p. 367.

Cézanne dans la collection Walter-Guillaume du musée de l'Orangerie

par Alice Marsal
Responsable de la documentation et des archives au musée de l'Orangerie

Guillaume marchand d'art : Apollinaire et les maîtres tutélaires

Le 18 avril 1915, depuis le front de la Grande Guerre, le poète Guillaume Apollinaire écrit à son ami, le marchand Paul Guillaume, resté à Paris : « Achetez des tableaux bon marché, Rousseau, Picasso, Laurencin, Bonnard, Cezanne etc. etc., vous savez quoi, écrivez-moi, ne montrez pas nos lettres et espérons-le à bientôt[1]. » Paul Guillaume vient d'ouvrir à Paris, en 1914, sa première galerie, rue de Miromesnil. Jeune marchand autodidacte, issu d'un milieu modeste, rien ne le prédisposait au commerce d'art. Avant-guerre, à Montmartre, il s'était lié aux artistes et aux écrivains réunis autour du Bateau-Lavoir. Se passionnant pour « l'art nègre » dont il devint l'un des spécialistes et l'un des rares marchands à Paris, il fut parmi les premiers à reconnaître le caractère artistique des objets d'art africains, aux côtés de Vlaminck, Derain, Matisse, Picasso et Apollinaire. Rapportés des colonies, présentés aux Expositions universelles et dans les boutiques de curiosités, ces objets fascinent les artistes de l'avant-garde par leur esthétique inédite. Ils ont l'aura de la nouveauté et bouleversent les codes de la représentation. Du côté de la modernité, ils côtoient la machine, la ville ou encore la vitesse louée par les futuristes. Paul Guillaume et Apollinaire, qui se fréquentent depuis 1911[2], partagent un goût commun pour ces œuvres venues de loin.

Dès leur rencontre, Apollinaire n'a de cesse de soutenir l'ascension de Paul Guillaume, lui présentant les artistes de son entourage : Picasso, Picabia, de Chirico… ; il l'encourage dans l'entreprise de sa galerie, dans laquelle il compte bien jouer un rôle. Poète, éditeur, journaliste, directeur de la revue *Les Soirées de Paris*, l'homme est une figure centrale d'un réseau artistique cosmopolite. Au fait de toutes les tendances, il fréquente les ateliers

Fig. 1
Anonyme
Paul Guillaume à son bureau de travail, 6, rue Miromesnil, Paris
Vers 1914, photographie
Paris, musée de l'Orangerie

et les Salons, les peintres connus et ceux en devenir, les collectionneurs et les critiques d'art.

En décembre 1914, Apollinaire, qui dès le mois de juin avait demandé à rejoindre le front, part au combat, alors que Paul Guillaume, pour raisons de santé, échappe aux campagnes successives de mobilisation. Les deux amis ne cessent de correspondre. Lorsqu'en 1915, depuis le front, Apollinaire recommande à Guillaume resté à Paris d'acquérir « des tableaux bon marché […] [de] Cézanne », au côté de Rousseau et de Laurencin, c'est qu'en fin connaisseur il ne saurait recommander de meilleur investissement. Cézanne, encore peu recon-

---

[1] *Guillaume Apollinaire/Paul Guillaume, Correspondance*, édition établie par Peter Read, Paris, Gallimard/musée de l'Orangerie, 2016.
[2] Max Jacob, *Chronique des temps héroïques*, illustré par Pablo Picasso, Paris, Louis Border, 1956, pp. 121-123.

nu, n'est acheté que par de rares collectionneurs[3] mais suscite déjà l'intérêt des artistes d'avant-garde, ceux-là mêmes qui se passionnent pour les « fétiches d'Afrique et d'Océanie[4] ».

Auparavant décriées, les toiles de Cézanne sont désormais régulièrement exposées. En 1904, Cézanne et Renoir sont présentés au Salon d'automne aux côtés de la jeune génération, ce qui contribue à forger leur statut de figures tutélaires auprès des avant-gardes. Avec l'exposition de 34 de ses peintures dans la salle à lui dédiée, Cézanne s'y voit consacré de son vivant. La jeune génération d'artistes lui voue une grande admiration[5] : la lettre devenue célèbre de Cézanne au jeune Émile Bernard dans laquelle le maître d'Aix invite à peindre en traitant la nature « par le cylindre, la sphère, le cône » résonne comme une incitation à l'expérimentation ouverte et sans limite.

À ses débuts, Paul Guillaume n'est pas en mesure d'acheter les toiles de Cézanne. Il concentre ses investissements sur la peinture de jeunes inconnus. En 1915, il expose les artistes de l'avant-garde russe Larionov et Gontcharova. Il devient le marchand de Giorgio de Chirico et de Modigliani, puis de Derain à qui il consacre une exposition en 1916, avant de réunir pour la première fois en 1918, lors d'un accrochage dans sa galerie, les deux pionniers de l'art moderne, Matisse et Picasso.

Son ascension est rapide et fulgurante. La désorganisation de l'an 1914 ayant conduit plusieurs grands marchands à quitter Paris[6], Paul Guillaume se fait une place sur un marché de l'art qui, passé le chaos de l'entrée en guerre, redevient dynamique. En 1916, les événements artistiques foisonnent à Paris : expositions chez le couturier Paul Poiret, soirées poétiques et musicales organisées à Montparnasse par le groupe Lyre & Palette pour soutenir les victimes de la guerre, etc. Les revues d'art se multiplient : Pierre Reverdy lance *Nord-Sud*, bientôt Paul Guillaume créera *Les Arts à Paris*. Avec le concours d'Apollinaire, revenu du front en 1916[7], il participe ainsi de cette effervescence.

Alors qu'il loue désormais un appartement professionnel avenue de Villiers où il présente ses œuvres à vendre, Paul Guillaume fait paraître des encarts publicitaires qui nous renseignent sur son activité en 1916 : « Au 1er septembre, je suis acheteur de Renoir, Cézanne, Van Gogh, Lautrec, Guys, Manet, Monet, Sisley, Pissarro, Berthe Morisot, Degas, Rodin, Ingres, Delacroix, Corot, Courbet, Forain, Odilon Redon, Maurice Denis, Vuillard, Bonnard, Roussel, Picasso, Marquet, Douanier Henri Rousseau, Utrillo. Également antiquités d'Égypte, persanes, chinoises, sculptures nègres. Paul Guillaume – 16 avenue de Villiers – Paris. »

Tout au long de la guerre, Paul Guillaume s'attache une clientèle internationale, collectionneurs et galeries anglaises, scandinaves, suisses, américaines. Après avoir dédié son commerce aux art africains et aux peintres des avant-gardes, il l'étend aux artistes de la génération précédente : Le Douanier Rousseau, dont il est l'un des premiers à comprendre l'importance, les peintres impressionnistes, et désormais Renoir et Cézanne.

Guillaume collectionneur : Barnes et *Les Arts à Paris*

En février 1923, Guillaume organise une exposition dédiée aux récentes acquisitions d'Albert Barnes, riche collectionneur américain. C'est un événement, tant les œuvres sont nombreuses et prestigieuses. L'accrochage est un manifeste de l'art moderne, qui réunit entre autres Picasso, Matisse, Soutine, les sculpteurs Lipchitz et Zadkine. Sont aussi montrées des œuvres de Manet, Renoir, Daumier, Van Gogh. La *Gazette de l'hôtel Drouot* mentionne deux natures mortes de Cézanne. Dans la revue *Comœdia*[8], René-Jean, critique d'art, détaille le projet du docteur Barnes. Issu d'une famille ouvrière, ayant fait fortune dès 1907 avec l'invention d'un antiseptique, Albert Barnes collectionne les œuvres d'art avec l'ambition de bâtir, près de Philadelphie, une fondation réunissant la plus belle collection d'art moderne et d'art africain d'Amérique. Son projet a des visées éducatives, d'étude et de philanthropie.

[3] Les collectionneurs du peintre ne sont pas nombreux encore. Leo et Gertrude Stein, qui ont acquis leur premier Cézanne en 1904, font de leur appartement rue de Fleurus, à Paris, un creuset de la modernité. Leurs visiteurs – Matisse, Picasso, Braque, Apollinaire et bien d'autres – y goûtent la peinture du maître d'Aix. En 1912, Barnes achète les premiers Cézanne de sa collection auprès de Paul Durand-Ruel.

[4] Extrait de « Zone », poème d'ouverture du recueil *Alcools* de Guillaume Apollinaire, paru en 1913.

[5] En 1900, Maurice Denis réalise le tableau *Hommage à Cézanne* (Paris, musée d'Orsay), qui montre les peintres de la nouvelle génération rassemblés autour d'une nature morte du maître d'Aix.

[6] Notamment Paul Durand-Ruel et Daniel-Henry Kahnweiler, marchands des impressionnistes et des modernes.

[7] Le poète préface les catalogues de plusieurs expositions organisées par Paul Guillaume, cosigne le premier *Album de sculptures nègres*, achevé d'imprimer en avril 1917.

[8] C. Giraudon, *Paul Guillaume et les peintres du xxe siècle. De l'Art nègre à l'avant-garde*, Paris, La Bibliothèque des arts, 1993, p. 90 : l'auteure mentionne ces deux publications au sujet de l'exposition.

Dès les années 1910, le docteur Barnes est en lien avec différents marchands parisiens, dont Paul Durand-Ruel pour ses acquisitions d'œuvres de Cézanne. Le riche Américain est l'un des premiers collectionneurs du maître d'Aix. C'est en 1922 qu'il rencontre Paul Guillaume au cours d'un séjour à Paris. Les deux hommes nouent rapidement une relation de travail doublée d'une franche amitié. Lors du voyage de Barnes en Europe qui précède l'exposition de 1923, les trois quarts des achats de Barnes sont réalisés avec le concours de Guillaume. Le docteur le nomme secrétaire étranger de la fondation[9]. Pendant près de huit années, Paul Guillaume est le principal acheteur du docteur Barnes[10]. Cette collaboration augmente considérablement la crédibilité de la galerie de Guillaume, désormais située rue La Boétie, dans le quartier des marchands d'art parisiens.

C'est à la faveur de l'exposition de la collection Barnes que Paul Guillaume relance sa revue, *Les Arts à Paris*, créée en 1918 puis interrompue en 1920. Le numéro 7 de janvier 1923 propose au lecteur un récit haut en couleur du récent voyage du docteur Barnes à Paris et détaille le projet de sa fondation. Les articles, tous rédigés par Paul Guillaume, sont signés de différents noms, « La Direction », « Paul Guillaume », « Colin d'Arbois ». La revue reproduit une nature morte et une composition de plantes[11] de Cézanne appartenant à la collection Barnes, peut-être les deux œuvres présentées dans l'exposition à Paris.

Le numéro 11 des *Arts à Paris* d'octobre 1925 publie un article du docteur Barnes sur *Les Baigneuses* (1880) de Cézanne. Paul Guillaume vient d'acquérir cette œuvre[12] auprès du collectionneur danois Christian Tetzen-Lund avec qui, pour le compte de Barnes, il négocie. Il lui a auparavant acheté pour son propre compte plusieurs tableaux de Matisse et de Picasso[13]. L'article propose une analyse très complète du tableau et le replace dans l'histoire de l'art. Un tel écrit, signé de la main de Barnes, qui possède non moins de cinquante tableaux du peintre, ne peut que valoriser le marchand parisien. Celui-ci est devenu collectionneur, comme l'indique la légende

« collection particulière Paul Guillaume » inscrite sous la reproduction des *Baigneuses* en ouverture de l'article. Désormais, Paul Guillaume mène de front une activité de marchand et la constitution de sa propre collection. En 1926, il achète un ensemble d'œuvres du Douanier Rousseau. Cette même année, il acquiert le *Portrait de Madame Cézanne* (entre 1885 et 1890). Paul Guillaume possède alors plusieurs toiles du peintre, dont trois d'entre elles sont exposées au Salon des Indépendants[14] : le *Portrait de Madame Cézanne*, *Baigneur assis au bord de l'eau* (1876) et *Les Baigneuses* (1880), obtenue l'année précédente. Un tel événement est une reconnaissance dont il relate le succès dans sa correspondance avec Barnes, indiquant au sujet de sa collection personnelle : « Elle entre doucement, majestueusement, vers la légende[15]. »

En janvier 1927, la revue artistique d'avant-garde *Cahiers d'art* met Paul Guillaume à l'honneur. Sept chefs-d'œuvre de sa collection sont reproduits en pleine page selon un agencement étudié. Parmi ceux-ci, une nature morte de Cézanne, *Vase paillé, sucrier et pommes* (1890-1894), associée à des œuvres de Picasso, Derain, Renoir ainsi qu'un masque de reliquaire Kota légendé « Masque nègre ». Un entretien de Paul Guillaume mené par le critique d'art Tériade est illustré de photographies de l'appartement du collectionneur, avenue de Messine. Peintures, sculptures d'Afrique, parfois d'Inde ou d'Océanie, remplissent les pièces. Tériade décrit ainsi la collection de Paul Guillaume : « Regardez les Picasso nègres, dont les gris et les jaunes modulés remplissent les formes rigides ; des Matisse spontanés comme des croquis, mais remplis d'éternité ; des petits et des grands Derain patinés avant de vieillir. De beaux Cézanne et tout un panneau de superbes Renoir tiennent la garde. Des jolis Modigliani et des Chirico authentiques forment dans cet ensemble rare le côté italien. » Aux côtés des artistes modernes défendus dès ses débuts par Paul Guillaume, deux artistes précurseurs de la modernité, Renoir et Cézanne, « tiennent la garde », sont les garants de la collection. Dans la salle à

---

[9] Dans *Les Arts à Paris*, no 7, janvier 1923, un encart annonce : « Dans sa réunion spéciale du 16 janvier tenue à Merion (États-Unis), le CA de la Barnes Foundation a nommé M. Paul Guillaume secrétaire étranger de la Barnes Foundation. »

[10] S. de Daranyi, *Paul Guillaume, marchand et collectionneur* (1891-1934), Paris, Flammarion, 2023, chap. 5, « La roue de la fortune : la rencontre avec Albert Barnes ».

[11] *Rideau, cruchon et compotier* (1893-1894), Chicago, collection privée ; *Pots en terre cuite et fleurs* (1891-1892), Philadelphie, Barnes Foundation.

[12] L'œuvre est aujourd'hui connue sous le titre de *Quatre baigneuses*, 1880.

[13] S. de Daranyi, *Paul Guillaume, marchand et collectionneur*, pp. 120-122. L'auteure détaille les échanges entre Barnes, Guillaume et Tetzen-Lund, en s'appuyant sur la correspondance entre Barnes et Guillaume conservée dans les archives de la Barnes Foundation.

[14] *Trente ans d'art indépendant* (1884-1914), Galeries nationales du Grand Palais, 21 février-21 mars 1926.

[15] Lettres du 3 mars et du 30 juillet 1926 de Paul Guillaume à Albert Barnes, citées par S. de *Daranyi dans Paul Guillaume, marchand et collectionneur*, p. 155.

[16] S. de Daranyi, *Paul Guillaume, marchand et collectionneur*, chap. 8, « L'avenue de Messine et le grand projet d'un musée, 1927-1928 ».

manger de l'avenue de Messine, le *Portrait de Madame Cézanne*, hiératique, encadré d'un Matisse et d'un Picasso, surmonte deux têtes sculptées de Modigliani[16].

L'exposition *La grande peinture contemporaine à la collection Paul Guillaume* organisée en 1929 pour rendre publique sa collection personnelle réunit le Tout-Paris de l'époque. Sa promotion est assurée par la publication d'un ouvrage du critique d'art Waldemar-George. Parmi les six œuvres de Cézanne alors mises à l'honneur, trois se trouvent aujourd'hui au musée de l'Orangerie, le *Portrait de Madame Cézanne*, *Madame Cézanne au jardin* (1879-1880) et *Vase paillé, sucrier et pommes*. L'événement rappelle l'exposition à Paris de la collection Barnes en 1923. Le parallèle ne s'arrête pas là car Paul Guillaume nourrit lui aussi l'espoir d'ouvrir un hôtel-musée[17] dédié à l'art moderne…, ce qui n'est pas sans rappeler la Barnes Foundation. Passeur visionnaire, Guillaume encourage par ailleurs la collaboration entre collectionneurs privés et musées, prêtant notamment, pour une durée de six mois, le *Portrait de Madame Cézanne* au musée Granet[18].

Fig. 2
Paul Cézanne
Arbres et maisons, 1885-1886
Huile sur toile
67,9 × 92,1 cm
Robert Lehman Collection, 1975
New York, The Metropolitan Museum of Art

Fig. 3
Paul Cézanne
Arbres et maisons, vers 1885
Huile sur toile
54 × 73 cm
Paris, musée de l'Orangerie, inv. RF 1963 8

---

[17] Paul Guillaume dévoile ce projet dans *Les Arts à Paris*, no 14, octobre 1927.
[18] C. Giraudon, *Paul Guillaume et les peintres du xxe siècle*, p. 117.

Paul Guillaume prête également six toiles de Cézanne pour la tenue d'une rétrospective du peintre dans la galerie du Théâtre Pigalle nouvellement construit. Le catalogue est élaboré par Ambroise Vollard (1866-1939), marchand historique de Cézanne qui, le premier, organisa en 1895 une exposition monographique de ses œuvres. Guillaume est désormais une voix qui compte dans le cercle fermé des collectionneurs de Cézanne, et son projet de musée est à la mesure de la reconnaissance publique qu'il a su gagner.

En ce qui concerne ses décisions d'acquisition, on reste aujourd'hui étonnés par la pertinence des choix de Guillaume. Car il achète des œuvres majeures tels les portraits que Cézanne a réalisés de ses proches, *Madame Cézanne au jardin*, *Portrait de Madame Cézanne* et *Portrait du fils de l'artiste* (vers 1880), objets de recherches formelles audacieuses. Dans cette aventure de marchand et de collectionneur, que doit-il à Apollinaire, dont les recommandations l'ont à coup sûr guidé ? Et à Albert Barnes, grand connaisseur de Cézanne, collectionneur de la première heure et dont la fondation abrite le plus grand nombre d'œuvres du peintre ?

De la collection au musée

En 1934, Paul Guillaume meurt prématurément sans avoir mené à bien son projet de musée. Sa veuve, Juliette Lacaze dite Domenica, suivant les volontés testamentaires de son mari, ferme la galerie. Lui revient l'incroyable collection. Le défunt a demandé qu'elle soit léguée au musée du Louvre, tout en donnant à Juliette la possibilité de vendre les œuvres selon ses besoins. Lorsqu'en 1959 et 1963 les Musées nationaux achètent à Juliette Lacaze (devenue Domenica Walter après un second mariage) la collection Paul Guillaume, celle-ci a été sensiblement remaniée. Les œuvres les plus audacieuses de Picasso et Matisse – celles de l'expérience cubiste – ont été vendues, tandis que l'ensemble est enrichi de tableaux impressionnistes.

En ce qui concerne Cézanne, Domenica acquiert plusieurs paysages, comblant ainsi une lacune puisque la collection n'en comptait aucun. *Le Rocher rouge* (vers 1895) et *Dans le parc de Château Noir* (1898-1900) témoignent des ultimes recherches du peintre sur la représentation du paysage, tandis que le *Paysage au toit rouge* ou *Le Pin à l'Estaque* (1875-1876)

Fig. 4
Exposition
de la collection
Paul-Guillaume
à la galerie
Bernheim-Jeune,
1929. Photographie
Paris, musée
de l'Orangerie,
documentation

marquent les débuts de Cézanne dans la pratique du plein air et son attachement aux peintres impressionnistes. Quant au tableau *Arbres et maisons* (vers 1885) acheté par Domenica, il rappelle celui du même nom – aujourd'hui dans la collection Lehman du Metropolitan Museum de New York – que Paul Guillaume avait vendu dans les années 1920 au collectionneur Tetzen-Lund.

En 1952, Domenica emporte aux enchères la célèbre nature morte *Pommes et biscuits* (vers 1880) pour la somme de 38 millions d'anciens francs français. Le prix est tel que l'achat fait grand bruit, contribuant à faire de Cézanne un artiste des plus recherchés. Archétype de la nature morte cézanienne, l'œuvre vient s'associer, avec *Fruits, serviette et boîte à lait* (vers 1880), au tableau *Vase paillé, sucrier et pommes* acheté par Paul Guillaume dans les années 1920.

Les deux peintures de bouquet conservées au musée de l'Orangerie, *Fleurs et fruits* et *Fleurs dans un vase bleu* (vers 1880), ont une histoire étonnante. Aujourd'hui distinctes, elles appartenaient à un même tableau resté inachevé. Celui-ci fut découpé, entre 1904 et 1914, en plusieurs parties. Paul Guillaume acheta *Fleurs et fruits* en 1931 au marchand Ambroise Vollard. Domenica acquit *Fleurs dans un vase bleu* bien plus tard, sans savoir qu'il s'agissait de l'autre partie de l'œuvre car les deux tableaux avaient été retravaillés. Ils ont depuis été restaurés ; les repeints consécutifs au découpage ont disparu, les deux peintures ont alors été rapprochées[19].

Une histoire tout aussi singulière concerne *La Barque et les baigneurs* (vers 1890), peint par Cézanne à la demande de son ami Victor Chocquet pour orner un dessus-de-porte. De par sa vocation décorative, le tableau est atypique. D'un format allongé, il représente des baigneurs au bord de l'eau dans un paysage acadien, avec en son centre une embarcation. Seules les parties latérales figurant des baigneurs entrèrent dans les collections nationales en 1959 et 1963. Le tableau avait été découpé, vraisemblablement pour des raisons mercantiles, et la barque de la partie centrale demeurait manquante. Après que ce fragment fut acquis par les Musées nationaux en 1973, le tableau fut restauré et retrouva enfin son intégrité.

Le musée de l'Orangerie compte cinq tableaux achetés par Paul Guillaume, les dix autres l'ont été par Domenica. C'est dire combien elle a imprimé sa marque à la collection, sans toutefois s'éloigner de la direction ambitieuse donnée par Paul Guillaume, si bien que l'Orangerie réunit aujourd'hui certaines des œuvres les plus importantes du maître d'Aix.

---

[19] En 1992, Michel Hoog, conservateur au musée de l'Orangerie, reconstitua l'histoire de l'œuvre.

« Si Cézanne a raison, j'ai raison[1] » : comment l'avant-garde (Derain, Matisse, Modigliani, Picasso, Soutine) regarde Cézanne

Juliette Degennes
Conservatrice du patrimoine

En 1895 se tient la première exposition consacrée à Paul Cézanne, organisée par Ambroise Vollard dans sa galerie de la rue Laffitte, à Paris, deux ans après son ouverture. Cette exposition aura une importance décisive, tant pour l'artiste de cinquante-six ans que pour son marchand, qui se fait connaître au sein d'un réseau de connaisseurs comme un dénicheur de talents. Mais c'est surtout l'effet qu'elle produit sur ses visiteurs, en particulier les artistes, qui fait d'elle un jalon de la réception de Cézanne. Camille Pissarro, déjà reconnu dans le cercle des impressionnistes, témoigne à la fois de son admiration et des réticences de son entourage dans une lettre à son fils, Lucien Pissarro, lui aussi artiste : « Tu ne saurais croire combien j'ai de mal à faire comprendre à certains amateurs, amis des impressionnistes, tout ce qu'il y a de grandes qualités rares dans Cézanne, je crois qu'il se passera des siècles[2] avant qu'on s'en rende compte[3]. » Le pessimisme de Pissarro, homme du XIXe siècle[4], sera tempéré par l'enthousiasme des artistes provoqué par la rencontre avec l'œuvre de Cézanne dans les premières décennies du XXe siècle.

En 1900, cette exposition de Cézanne chez Vollard est déjà identifiée comme un tournant artistique. Dans l'esprit des artistes, Cézanne devient un précurseur des recherches artistiques, un guide spirituel, voire une figure familiale qui aurait contribué à leur éducation et qui serait convoqué dans les moments de doute afin de se rassurer sur sa pra-

Fig. 1
Maurice Denis
Hommage à Cézanne, 1900
Huile sur toile
180 × 240 cm
Paris, musée d'Orsay, don d'André Gide, 1928

---

[1] Henri Matisse : « Dans les moments de doute, quand je me cherchais encore, parfois effrayé de mes découvertes, je pensais : "Si Cézanne a raison, j'ai raison" parce que je sais que Cézanne n'avait pas fait d'erreur. » Cité dans F. Cachin et J. J. Rishel (dir.), *Cézanne,* Paris, Éditions de la Réunion des musées nationaux, 1995.
[2] Souligné par l'autrice.
[3] Lettre de Camille Pissarro à Lucien Pissarro, décembre 1895, dans J. Bailly-Herzberg (dir.), *Correspondance de Camille Pissarro,* vol. 4, 1895-1898, Paris, Éditions du Valhermeil, 1989, cité dans Cachin et Rishel (dir.).
[4] Né en 1830, il meurt en novembre 1903.

tique. Il est pour Pablo Picasso tour à tour un père[5], une mère[6], un grand-père[7], pour Henri Matisse « une sorte de bon Dieu de la peinture[8] », pour Georges Braque un bâtisseur[9], pour Maurice Denis un maître auquel il rend hommage. Son huile sur toile intitulée *Hommage à Cézanne* réalisée en 1900 illustre la place désormais occupée par le maître aixois pour les artistes rassemblés[10] autour de la toile *Compotier, verre et pommes*[11]. La mise en majesté de la nature morte, dont les couleurs contrastent sur cette foule de costumes sombres, occulte les tableaux accrochés aux murs de la galerie, parmi lesquels on reconnaît les toiles de Renoir et de Gauguin. Dans une lettre adressée à Cézanne, Denis, âgé de trente ans, témoigne de son admiration : « Peut-être aurez-vous ainsi quelque idée de la place que vous tenez dans la peinture de votre temps, des admirations qui vous suivent, et de l'enthousiasme éclairé de quelques jeunes gens dont je suis, qui se peuvent dire, avec raison, vos élèves, puisque ce qu'ils ont compris de la peinture, c'est à vous qu'ils le doivent : et nous ne saurions jamais assez le reconnaître[12]. » Dans les années 1900, à la fin de sa vie, Cézanne se sait ainsi « le primitif de la voie [qu'il] a découverte[13] », regardé par les « jeunes peintres[14] » qui veulent tirer les leçons des recherches cézaniennes et en formuler une théorie esthétique : ce furent du cubisme, Maurice Denis ou Fernand Léger qui se tournèrent vers Cézanne pour justifier un retour à la figuration dans les années 1920.

Hommages au maître et introduction aux jeunes[15] : les expositions Cézanne

L'exposition de 1895 chez Vollard en inaugure une série d'autres organisées par le marchand, qui s'assure le monopole des œuvres de l'artiste : sept sont proposées entre 1898 et 1910. Dans une lettre à Gauguin en janvier 1900, Vollard écrit : « J'ai acheté tout l'atelier de Cézanne. J'en ai déjà fait trois ou quatre expositions ; cela commence à prendre auprès du public[16]. » Le marchand s'occupe également des envois au Salon d'automne, dont la première édition a lieu en 1903. La spécificité de ce Salon, qui fait concurrence au Salon des Indépendants[17], est de présenter des rétrospectives monographiques. En 1904, Cézanne est le sujet de l'une d'entre elles : Vollard prête 16 œuvres de 1870-1880 sur les 33 exposées, parmi « les plus finies du peintre »[18], mêlant portraits, natures mortes, paysages et baigneuses. Dix œuvres figurent au Salon d'automne de 1905 et à celui de 1906, pendant lequel survient le décès de Cézanne à l'âge de soixante-sept ans.

En 1907, quatre expositions présentent des œuvres de Cézanne à Paris : deux à la galerie Bernheim-Jeune, une à la galerie Eugène Blot et une rétrospective au Salon d'automne avec 57 toiles et aquarelles, en hommage au peintre disparu. Cette dernière consacre Cézanne dans l'esprit des amateurs, et fait découvrir aux non-initiés le travail du peintre. Les deux dernières compositions du maître, les *Grandes baigneuses* (1894-1905, Londres, The National Gallery et The Philadelphia Museum of Art),

[5] « Il était mon seul et unique maître ! Vous pensez bien que j'ai regardé ses tableaux […] J'ai passé des années à les étudier […] Cézanne ! Il était comme notre père à nous tous. C'est lui qui nous protégeait » : Pablo Picasso à Brassaï en 1966, dans D. Ashton (dir.), *Picasso on Art: A Selection of Views*, New York, Viking Press, 1972, p. 162.

[6] « Cézanne était pour nous comme une mère qui protège ses enfants » : Pablo Picasso cité par D. H. Kahnweiler, dans *Entretiens avec Francis Crémieux*, Paris, Gallimard, 1961.

[7] « Le petit-fils de Cézanne, c'est moi » : Pablo Picasso cité dans P. Daix, *Dictionnaire Picasso*, Paris, Éditions Robert Laffont, 1995, p. 181.

[8] « Cézanne, voyez-vous, est bien une sorte de bon Dieu de la peinture » : Henri Matisse cité dans C. Grammont (dir.), *Tout Matisse*, Paris, Éditions Robert Laffont, 2018.

[9] « Cézanne est aussi grand par ses maladresses que par son génie, il n'a pas construit, il a bâti » : Georges Braque cité dans É. Mézil (dir.), *Il faut rendre à Cézanne ce qui appartient à Cézanne*, Paris, Gallimard, 2006.

[10] De gauche à droite : Odilon Redon, représenté au premier plan sur la gauche, Paul Sérusier face à lui, puis derrière le tableau de chevalet Édouard Vuillard, le critique André Mellerio, Ambroise Vollard, Maurice Denis, Paul Ranson, Ker-Xavier Roussel de profil, le dos tourné, enfin Pierre Bonnard et Marthe Denis, l'épouse du peintre.

[11] *Compotier, verre et pommes*, 1879 et 1880, ancienne collection de Paul Gauguin, aujourd'hui dans une collection privée.

[12] Maurice Denis, *Lettre à Paul Cézanne*, 13 juin 1901, publiée dans J. Rewald (dir.), *Paul Cézanne, correspondance*, Paris, Éditions Grasset & Fasquelle, 1978, p. 275.

[13] Paul Cézanne cité par É. Bernard, « Souvenirs sur Paul Cézanne et lettres inédites », *Mercure de France*, nos 247 et 248, 1907, pp. 385-404.

[14] Lettre de Paul Cézanne à son fils Paul, 15 octobre 1906 : « Je crois les jeunes peintres beaucoup plus intelligents que les autres, les vieux ne peuvent voir en moi qu'un rival désastreux », dans *Paul Cézanne, correspondance*, p. 332.

[15] À ce sujet, voir P. Perrin, « "Un éblouissement", Renoir au Salon d'automne (1904-1912) », *Histoire de l'art*, no 69, 2011, p. 126.

[16] Lettre de Paul Cézanne à Paul Gauguin, janvier 1900, cité par I. Cahn, « L'exposition Cézanne chez Vollard en 1985 », dans *Cézanne aujourd'hui*, actes du colloque organisé par le musée d'Orsay, Paris, Réunion des musées nationaux, 1997, p. 143.

[17] Cézanne expose également au Salon des Indépendants : en 1899 (3 toiles), en 1901 (2 toiles), en 1903 (3 toiles).

[18] Ambroise Vollard cité dans R. Boardingham, « Cézanne and the 1904 Salon d'automne », *Apollo*, octobre 1995, p. 31.

y sont montrées pour la première fois, donnant à voir un autre aspect de l'œuvre cézanienne, inspirée par les maîtres anciens vus au Louvre.

L'exemple d'Amedeo Modigliani et de Chaïm Soutine, héritiers des portraits de Cézanne

C'est là qu'Amedeo Modigliani, âgé de vingt-trois ans, a pu découvrir l'œuvre de Cézanne, à la fin de son premier séjour à Paris. Le peintre italien manifeste dès lors une profonde admiration pour le maître, en particulier pour ses portraits : « Au nom de Cézanne, une expression respectueuse apparaissait sur son visage. Avec un geste lent et cachottier, il sortait de sa poche une reproduction du *Garçon au gilet rouge*, l'élevait comme un bréviaire jusqu'à son visage, la portait à ses lèvres et l'embrassait[19]. » L'héritage laissé par le maître se retrouve dans la simplification géométrique éloignée de la recherche naturaliste, dans les élongations de ses personnages, dans le choix des poses de ses modèles, dans la juxtaposition des couleurs chaudes et froides. Le *Violoncelliste* (1909, huile sur toile, collection privée), par l'étirement du bras droit, révèle l'influence directe du *Garçon au gilet rouge* (1888-1890, huile sur toile, Zurich, Sammlung Emil Bührle). Plus tardif, le portrait de la *Jeune fille au corsage à pois* (1919, huile sur toile, Philadelphie, Barnes Foundation) évoque les poses de *Madame Cézanne*, notamment dans le portrait acheté par Paul Guillaume (1885-1895, huile sur toile, Paris, musée de l'Orangerie). Les mains posées sur les cuisses, la pose hiératique, le visage inexpressif, l'arrière-plan ébauché et la présentation frontale du modèle en position assise témoignent de l'influence cézanienne dans l'œuvre de Modigliani.

Son ami Chaïm Soutine, arrivé à Paris en 1912, regarde lui aussi les portraits réalisés par Cézanne. On retrouve en particulier dans ses *Femmes en rouge* (1922, huile sur toile, collection privée, et 1923-1924, huile sur toile, musée d'Art moderne de Paris) la pose de *Madame Cézanne* assise, le bras posé sur l'accoudoir du fauteuil et les mains tenues[20]. L'intensité de la couleur est ici portée à son paroxysme ainsi que les déformations corporelles, loin de toute recherche de réalisme. Le bras gauche est allongé à l'extrême, voire déformé, évoquant le bras gauche trop long du *Garçon au gilet rouge* si cher à Modigliani et défendu par Max Liebermann : « Un bras aussi beau ne saurait être trop long[21] ! »

André Derain sur les traces de Cézanne : des natures mortes aux baigneuses

Revenu de ses obligations militaires en 1904 à vingt-quatre ans, André Derain a pu voir les tableaux de Cézanne au Salon d'automne cette même année. La référence cézannienne intègre immédiatement son vocabulaire artistique, mais c'est surtout à l'été 1906 que Derain suit les traces de Cézanne, lorsqu'il part peindre à L'Estaque, lieu privilégié pour les artistes depuis les premiers séjours de l'Aixois en 1870. À L'Estaque, Derain réalise la synthèse entre l'art de Gauguin et celui de Cézanne : il poursuit l'aventure du fauvisme en développant l'utilisation de couleurs non mimétiques, tout en peignant sur le motif. En 1907, les nombreuses occasions d'admirer les derniers travaux de Cézanne – Derain a accroché la reproduction des *Cinq baigneuses* (1885, huile sur toile, Bâle, Kunstmuseum) au mur de son atelier – lui font découvrir de nouvelles voies. Ses *Baigneuses* de 1907 (huile sur toile, New York, The Museum of Modern Art) en sont profondément marquées. Le volume des corps est rendu par le dessin synthétique et par le jeu de couleurs complémentaires, hérités des recherches de Cézanne. L'année suivante, Derain regarde à nouveau les baigneuses tardives : dans ses *Baigneuses* de 1908 (huile sur toile, musée d'Art moderne de Paris), les corps sont eux aussi étirés, la palette se rapproche des ocres cézanniens, les corps se confondent dans une nature aux traits simplifiés.

Les artistes et leurs talismans : les collections de Cézanne

Henri Matisse et son remède contre l'anxiété

La visite de la première exposition consacrée à Cézanne à Paris, en 1895, constitue une véritable rencontre pour Henri Matisse, âgé de vingt-six ans. Cet intérêt marqué se vérifie dès 1899, lorsque l'artiste acquiert pour 1 200 francs une toile du maître par l'intermédiaire de Vollard. Il s'agit des *Trois baigneuses* (1879-1882, huile sur toile, Petit Palais). Il en fait don en 1936 à son ami Raymond Escholier, conservateur du Petit Palais, faisant entrer pour la première fois une toile de Cézanne dans les collections publiques françaises. La lettre de don revient sur la relation qu'il a entretenue avec cette toile : « Depuis 37 ans que je la possède, je connais assez bien cette toile, pas entièrement, je l'espère ; elle m'a soutenu moralement dans les moments critiques de mon aventure d'artiste ; j'y ai puisé ma foi et ma

---

[19] Cette anecdote est rapportée par le critique suisse Gotthard Jedlicka, cité dans A. Werner, *Amedeo Modigliani*, Paris, Éditions Cercle d'art, 1968, p. 34.
[20] Voir *Madame Cézanne au chapeau vert*, 1891-1892, huile sur toile, Philadelphie, The Barnes Foundation.
[21] A. Werner, *Amedeo Modigliani*, p. 76.

Fig. 2
Paul Cézanne
Trois baigneuses, 1879-1882
Huile sur toile, 52 × 55 cm
Don de M. et Mme Henri Matisse, 1936
Paris, Petit Palais, musée des Beaux-Arts de la ville de Paris

portraits de madame Cézanne (1886-1887, Philadelphia Museum of Art, et 1885-1890, Paris, musée d'Orsay), *Rochers près des grottes au-dessus du Château-Noir* (vers 1904, Paris, musée d'Orsay) et la nature morte *Fruits et feuillages* (vers 1890, collection privée). À partir de cette dernière, il réalise un fusain sur papier et une lithographie en 1914, seule copie connue d'après Cézanne par Matisse.

Pablo Picasso et le modèle pictural de Cézanne
Si Pablo Picasso n'a jamais travaillé directement d'après Cézanne, comme il l'a fait pour Velázquez ou Manet, son œuvre l'accompagne pourtant toute sa vie. Le jeune Espagnol, alors âgé de dix-neuf ans, découvre Cézanne dès son arrivée à Paris en 1900 lorsqu'il visite l'Exposition universelle, et probablement par l'intermédiaire de Vollard chez qui il expose en 1901. Dans

Fig. 3
Henri Matisse
Fruits et feuillages, 1914
Lithographie d'après Cézanne pour un album publié par Bernheim-Jeune
Fonds Van Day Truex, 1999
New York, The Metropolitan Museum of Art

persévérance[22]. » Dans un entretien de 1925, Matisse décrit déjà Cézanne comme un remède contre l'anxiété : « Dans les moments de doute, quand je me cherchais encore, parfois effrayé de mes découvertes, je pensais : "Si Cézanne a raison, j'ai raison" parce que je sais que Cézanne n'avait pas fait d'erreur[23]. » De cette toile, Matisse retient la figure de baigneuse vue de dos sur la gauche, qu'il reprend presque littéralement dans sa *Baigneuse* de l'été 1909 (*Baigneuse, Cavalière*, huile sur toile, New York, The Museum of Modern Art) qu'il réalise lors de son séjour familial dans le sud de la France. La figure assise, vue de dos, dans la toile de Cézanne constitue probablement une source d'inspiration du *Nu assis, dos tourné* (1917, huile sur toile, The Philadelphia Museum of Art) : le traitement plus réaliste de la figure humaine et le rendu du volume du dos modulé par les tons gris évoquent l'héritage de la petite toile si longtemps conservée par le peintre. Matisse acquiert en 1911 quatre autres huiles sur toile de Cézanne : deux

---

[22] Lettre d'Henri Matisse à Raymond Escholier, 16 novembre 1936, cité par I. Monod-Fontaine, « Cézanne chez Matisse », dans F. Cachin, H. Loyrette et S. Guégan (dir.), *Cézanne aujourd'hui, op. cit.*
[23] J. Guenne, « Entretien avec Henri Matisse », *L'Art vivant*, 15 septembre 1925.

les années 1930, il fait l'acquisition du *Château-Noir* de Cézanne (1905, huile sur toile, Musée national Picasso-Paris), et échange dans les années 1950 *La Mer à L'Estaque derrière les arbres* contre l'une de ses toiles[24]. « Quand il montrait le *Château-Noir* ou *L'Estaque* – deux toiles qui à elles seules constitueraient la plus fabuleuse des donations – il y avait dans sa façon de les examiner, de les commenter, d'insister sur leur magnificence, une sorte d'émotion où transparaissait sa passion[25]. »

Ce n'est qu'en 1957 qu'il acquiert les *Cinq baigneuses* (1877-1878, huile sur toile, Musée national Picasso-Paris). Ce choix n'est pas anodin : il lui rappelle probablement le travail mené à partir de 1907 pour les *Demoiselles d'Avignon* (1907, huile sur toile, New York, The Museum of Modern Art), pour lesquelles il avait attentivement regardé la petite toile possédée par Matisse, la reproduction des *Cinq baigneuses* dans l'atelier de Derain et les *Grandes baigneuses* de Cézanne exposées cette année-là au Salon d'automne. De ces dernières toiles, Picasso reprend les attitudes, notamment la figure de gauche en action, qui entre dans la toile de profil.

C'est à partir de cette époque que Cézanne devient véritablement un « modèle pictural »[26] pour Picasso, qui, au début de la période cubiste, travaille sur le traitement des volumes afin de les saisir dans leur totalité. Il s'inspire des solutions plastiques trouvées par le maître, à savoir la déformation de la structure des objets en faveur d'une relation rythmique. Sa collaboration avec Georges Braque, qui a passé l'été à L'Estaque en 1907[27], ouvre la voie au « cubisme cézannien » en 1908-1909 et à une série de toiles qui témoigne de son admiration pour Cézanne : le *Paysage aux deux figures* (1908, huile sur toile, Musée national Picasso-Paris), qui mêle le motif des baigneuses et le paysage de rochers massifs, chers à Cézanne, encadrés par un auvent d'arbres majestueux. L'intégration des nus dans la nature reconstruite souligne la référence aux *Grandes baigneuses*. Picasso semble ici appliquer la célèbre formule du maître rapportée par Émile Bernard : « traiter la nature par le cylindre, la sphère, le cône, le tout mis en perspective[28] ». Le *Portrait de Georges Braque* (1909-1910, huile sur toile, Berlin, Neue Nationalgalerie) rend hommage à leur admiration mutuelle pour Cézanne, source de leur quête cubiste, notamment par le choix du chapeau en souvenir de celui que portait Cézanne à la fin de sa vie. Œuvre du cubisme analytique, Picasso opère ici le dépassement des problématiques cézanniennes et poursuit sa propre quête plastique.

Fig. 4
Pablo Picasso
Paysage aux deux figures, 1908
Huile sur toile, 60 × 73 cm
Paris, Musée national Picasso-Paris

[24] B. Ely, « Picasso collectionne Cézanne », dans A. Roquebert, E. Cowling, B. Leal *et al.*, *Picasso Cézanne*, Paris, Réunion des musées nationaux, et Aix-en-Provence, Communauté du Pays d'Aix, 2009.

[25] H. Parmelin, « Picasso ou le collectionneur qui n'en est pas un », *Picasso collectionneur*, Paris, Réunion des musées nationaux, 1998, p. 22.

[26] P. Daix, *Dictionnaire Picasso* : « Cézanne cesse d'être une réserve d'éléments, de suggestions plastiques pour devenir un modèle pictural. »

[27] Voir Georges Braque, *Viaduc à L'Estaque,* 1907, huile sur toile, Minneapolis Institute of Art.

[28] Lettre de Paul Cézanne à Émile Bernard, 15 avril 1904, dans *Paul Cézanne, correspondance.*

Cézanne ou la « palme de l'immortalité »

Dès le décès de Cézanne le 22 octobre 1906, Ambroise Vollard fait le projet d'ériger un monument en l'honneur du peintre à Aix-en-Provence. Le comité de sélection, composé de Maurice Denis, Frantz Jourdain, président du Salon d'automne, et le comte Kessler, collectionneur et mécène, sélectionne en 1911 les esquisses d'Aristide Maillol. L'orientation esthétique s'inscrit dans l'œuvre du sculpteur : il s'agit d'une allégorie féminine, la figure de la Renommée, hommage à l'art classique, à l'image des commandes de monuments publiques réalisées par Maillol. En 1924, son esthétique éloignée de la peinture de Cézanne suscite l'incompréhension et le refus de la ville d'Aix-en-Provence de placer la statue à l'emplacement souhaité. Par cette proposition, Maillol souhaite en réalité faire entrer Cézanne au panthéon des artistes, ainsi que le décrit Judith Cladel, biographe du sculpteur : « L'olympienne déité […] offre à la mémoire de Cézanne la palme de l'immortalité[29]. » Cet hommage public à Cézanne illustre les multiples réceptions de son œuvre, entre père des modernes et modèle d'un retour à l'ordre qui se veut classique, mais qui trouvent leur dénominateur commun dans la dette assumée par les artistes du début du XXe siècle. Finalement accueillie au jardin des Tuileries, l'œuvre de Maillol accomplit le vœu de son créateur : Cézanne est désormais au panthéon, dans l'enceinte du Louvre.

Fig. 5
Aristide Maillol
Monument à Cézanne, entre 1912 et 1925
Marbre
140 × 227 × 77 cm
Paris, musée d'Orsay

[29] J. Cladel, *Aristide Maillol : sa vie, son œuvre, ses idées*, Paris, Grasset, 1937.

Œuvres exposées

C'est à l'instigation de l'écrivain Stéphane Mallarmé et de l'homme de lettre et inspecteur des musées départementaux Roger Marx, soucieux de faire entrer les impressionnistes dans les musées nationaux, que le directeur des Beaux-Arts Henri Roujon demande à Renoir au début des années 1890 de peindre une œuvre importante dont le musée du Luxembourg ferait l'acquisition. Le peintre, qui est alors déjà âgé d'une cinquantaine d'année au moment de cette première commande officielle, élabore son projet avec soin, réalisant différentes études et versions de son sujet. Il choisit de réaliser une ambitieuse composition en poussant les recherches sur un thème qu'il explore depuis quelque temps déjà : celui des jeunes filles partageant une occupation, ici jouer du piano. Il en ressort un ensemble de six grandes œuvres, un pastel et cinq huiles. Le choix final porte sur la toile conservée aujourd'hui au musée d'Orsay qui semble être la plus aboutie. La version du musée de l'Orangerie, très esquissée, laisse penser qu'il s'agit de l'un des premiers jets pour cette composition. Une autre version est conservée au Metropolitan Museum de New York, tandis que les deux autres et le pastel se trouvent dans des collections privées. Les différentes versions présentent des dissemblances mineures dans les détails des costumes, des vases, de l'arrière-plan ainsi que dans les positions de la tête et des mains des jeunes filles. Un travail aussi poussé autour d'une seule et même composition avec uniquement des variations dans le degré d'achèvement, dans les gammes colorées et certains détails reste unique dans la carrière du peintre. On pourrait l'attribuer au caractère anxieux et perfectionniste de Renoir qui souhaite être à la hauteur de cette prestigieuse commande. On peut aussi songer aux « séries » que son ami Claude Monet développe à la même période autour des *Meules* (1891) ou des *Cathédrales de Rouen* (1892), mais dans ce cas précis dans une scène d'intérieur centrée sur la figure humaine.

CG

1
Pierre-Auguste Renoir
Jeunes filles au piano
Vers 1892
Huile sur toile
116 × 81 cm
Paris, musée de l'Orangerie, inv. RF 1960 16

Madame Cézanne pose vêtue d'une longue robe noire, accoudée à une table de jardin en fer forgé, dans un cadre de verdure. Ce genre de portrait est inhabituel chez Cézanne qui préfère peindre ses proches en intérieurs, dans des cadres dépourvus de détail. La végétation, esquissée par de larges touches vertes et bleues, se reflète sur les mains et le visage de la jeune femme. Le bas du tableau et l'arrière-plan restés vierges laissent voir la préparation de la toile. La matérialité de la peinture, rendue apparente, souligne le geste du peintre et le métier à l'œuvre.

AM

2
Paul Cézanne
Madame Cézanne au jardin
1879-1880
Huile sur toile
80 × 63cm
Paris, musée de l'Orangerie, inv. RF 1960 8

Renoir a souvent représenté ses enfants sur le vif. Ce portrait a, au contraire, nécessité plusieurs séances de poses de Claude, le dernier-né de son union avec Aline Charigot, alors âgé de huit ans. Ses dimensions et le décor de colonnes le situent dans l'héritage des jeunes enfants de la famille royale peints par Velázquez ou Goya, que Renoir a pu contempler lors de son séjour en Espagne en 1892. Le costume de clown, conservé à Cagnes-sur-Mer, illumine la toile. Il se prête à des jeux de lumière sur le rouge chatoyant, sur le col blanc imposant, et sur les bas inconfortables, selon le témoignage de Claude. Une autre version de ce tableau existe : intitulé *La Collerette*, il souligne dans un format plus modeste le visage du fils de l'artiste.

JD

3
Pierre-Auguste Renoir
Claude Renoir en clown
1909
Huile sur toile
120 × 77 cm
Paris, musée de l'Orangerie, inv. RF 1960 17

Cézanne a peint de très nombreux portraits de sa femme, Hortense, posant dans un intérieur. Cette toile la représente sur un fond nu, avec pour seul élément de contexte le dossier du fauteuil sur lequel elle est assise. Son attitude hiératique lui donne une forte présence, accentuée par le fond bleuté formant autour d'elle une auréole lumineuse. Ici Cézanne use largement de la réserve : les rehauts lumineux sont produits par la toile blanche laissée apparente. Les touches rapides vertes et bleues animent le fond sur lequel se détache la robe noire d'Hortense

AM

4
Paul Cézanne
Portrait de Madame Cézanne
1885-1895
Huile sur toile
81 × 65 cm
Paris, musée de l'Orangerie, inv. RF 1960 9

Renoir réalise au cours de sa carrière quelques paysages de neige, mais contrairement aux autres peintres impressionnistes comme Claude Monet, Camille Pissarro ou Alfred Sisley, il ne s'agit pas d'un sujet récurrent. En effet le peintre aurait déclaré selon Ambroise Vollard : « Je n'ai jamais supporté le froid ; aussi, en fait de paysages d'hiver, il n'y a que cette toile… Je me rappelle aussi deux ou trois petites études ». *Paysage de neige* serait l'une des petites études dont il parle. L'hiver 1874-1875 avait été particulièrement soumis aux intempéries neigeuses et c'est probablement au début de l'année 1875 que Renoir réalisa ce tableau.

CG

5
Pierre-Auguste Renoir
Paysage de neige
Vers 1875
Huile sur toile
51 × 66 cm
Paris, musée de l'Orangerie, inv. RF 1960 21

Cézanne a souvent peint la campagne vallonnée aux environs d'Aix-en-Provence où il vivait, dans le sud de la France. Aucun personnage ne vient jamais animer le paysage, mais les champs cultivés ponctués de bosquets et de fermes isolées suggèrent la main de l'homme. Dans ce paysage d'hiver, une maison apparaît, en arrière-plan d'une rangée d'arbres sans feuilles. Les troncs sombres au premier plan contrastent avec la clarté de l'arrière-plan, ce qui suggère la profondeur. Cézanne n'utilise ni diagonales ni points de fuite, la sensation d'espace tout entière repose sur le jeu des couleurs.

AM

6
Paul Cézanne
Arbres et maisons
Vers 1885
Huile sur toile
54 × 73 cm
Paris, musée de l'Orangerie, inv. RF 1963 8

Anciennement dans la collection de Paul Durand-Ruel, le marchand ayant fait « le pari de l'impressionnisme », ce paysage de Renoir marque son adhésion à la peinture de plein air à la fin des années 1860. Cet écart par rapport à l'académisme est hérité de l'école de Barbizon, de Camille Corot, ou encore des conseils d'Eugène Boudin qui affirmait que « trois coups de pinceau d'après nature valent mieux que deux jours de travail au chevalet ». Permis par le développement de la peinture en tube et du chevalet portatif, les impressionnistes s'attachent à représenter un endroit en particulier, ici le commerce fluvial sur la Seine, aux environs de Paris. Les tons gris dominent dans un ciel nuageux, néanmoins nuancés par des jeux de couleurs plus vives, comme le vert de la végétation foisonnante.

JD

7
Pierre-Auguste Renoir
Chalands sur la Seine
Vers 1869
Huile sur toile
47 × 64,5 cm
Paris, musée d'Orsay, inv. RF 3667

En septembre 1883, Renoir se rend sur les îles Britanniques, à Jersey puis à Guernesey, où il reste un mois. Fasciné par ce « paysage de Watteau » qui s'offre à lui, le peintre y puise des motifs marins aux coloris clairs. Renoir travaille son goût du paysage dans la lignée de ses aînés, Camille Corot et Gustave Courbet, et en écho avec les toiles de son contemporain Claude Monet. La touche vibrante donne aux rochers et au ciel nuageux la même consistance qu'aux remous de la Manche, dont le mouvement de la vague rythme la composition.

JD

8
Pierre-Auguste Renoir
Marine, Guernesey
1883
Huile sur toile
46 × 56 cm
Paris, musée d'Orsay, inv. RF 1973 22

Dans les années 1872-1874, Cézanne peint avec Camille Pissarro en banlieue de Paris. La campagne d'Île-de-France est pour les peintres une importante source d'inspiration. Accessible en train mais demeurée rurale, elle leur offre une grande variété de motifs simples : champs, coteaux, habitations, potagers… Cézanne et Pissarro y puisent les éléments d'une manière contrevenant au paysage classique, qui rompt avec l'idée d'une nature d'essence divine dont le peintre exalterait l'harmonie. Cézanne représente ici un paysage sans qualité particulière – un chemin, des maisons et des arbres. Les habitations fermées semblent désertées et la route qui se resserre n'ouvre sur aucun horizon, et nul personnage ne vient animer la scène.

AM

9
Paul Cézanne
Route de village, Auvers
1872-1873
Huile sur toile
46 × 55,3 cm
Paris, musée d'Orsay, inv. RF 1973 12

Ce « portrait d'arbre » exécuté à Louveciennes, aux environs de Paris, marque l'attrait de Renoir pour la représentation de la végétation foisonnante. Elle est ici à la fois le décor et le sujet de la toile, dominant les trois figures humaines, dont on devine l'activité en cours, mais qui semblent esquissées seulement pour indiquer l'échelle monumentale de ce poirier dont la cime sort du cadre. Les reflets lumineux, que s'attache à traduire le peintre, se retrouvent dans les jeux de couleurs, marqués par des tons clairs et une touche légère, presque transparente.

JD

10
Pierre-Auguste Renoir
Le Poirier d'Angleterre
Vers 1873
Huile sur toile
66,5 × 81,5 cm
Paris, musée d'Orsay, inv. RF 2012 5

Cézanne réalise ce tableau après un séjour à Auvers-sur-Oise avec le peintre impressionniste Camille Pissarro qui l'initie à la peinture de plein air. Cette toile est marquée par son influence, tant dans la manière de peindre sur le motif que dans le sujet, celui d'une campagne ordinaire du sud de la France. Cézanne joue avec les effets de matière pour en représenter les différents éléments. Le ciel est balayé à la brosse, des touches longues évoquent l'étendue des champs, le feuillage est rendu par des virgules animées et les maisons en touches épaisses. L'œuvre surprend par sa composition asymétrique qui ne désigne aucun sujet précis sinon le paysage tout entier. Un arbre au premier plan ouvre sur l'horizon, alors qu'au cœur du tableau un massif dissimule l'entrée d'une maison, à peine discernable.

AM

11
Paul Cézanne
Paysage au toit rouge ou *Le Pin à L'Estaque*
1875-1876
Huile sur toile
73 × 60 cm
Paris, musée de l'Orangerie, inv. RF 1963 7

En février 1881, Renoir se rend pour la première fois en Algérie. Il y découvre la « richesse extraordinaire de la nature » qui avait enchanté Eugène Delacroix en 1832. Ce paysage a été peint dans la banlieue d'Alger, et nommé d'après un café-restaurant qui se trouvait sur place. Le contexte géographique n'est qu'un prétexte pour étudier une nouvelle flore : les figuiers de Barbarie et les aloès sont le sujet de la toile, traités par des touches ramassées. Les ombres sont suggérées par les nuances de bleus, et contrastent avec les couleurs plus vives, créant de nouveaux jeux de lumière inspirés par celle d'Algérie. Ce n'est que lors de son second voyage, en 1882, que Renoir s'intéressera aux figures humaines et réalisera des portraits de femmes, loin des odalisques du début du siècle.

JD

12
Pierre-Auguste Renoir
Paysage algérien, le ravin de la femme sauvage,
1881
Huile sur toile
65 × 81,5 cm
Paris, musée d'Orsay, inv. RF 1943 62

Renoir se montre ici plus intéressé par la loge d'un théâtre que par la scène et se concentre sur un détail. Aucun personnage n'est visible, seulement un bouquet de roses évoquant une spectatrice élégante. L'espace de la loge est simplement rendu par la ligne sinueuse de la cloison sur la droite. La large banquette rouge, qui forme l'essentiel du fond, y contraste avec la balustrade grise, simplement esquissée. On se trouve ici à la croisée d'une représentation vivante du monde du théâtre et de la nature morte ou « vie silencieuse ». Renoir aimait introduire un bouquet dans ses tableaux.

CG

13
Pierre-Auguste Renoir
Bouquet dans une loge
Vers 1880
Huile sur toile
40 × 51 cm
Paris, musée de l'Orangerie, inv. RF 1960 20

Ambroise Vollard, un des marchands de Renoir, raconte que « Madame Renoir avait toujours à la maison des fleurs dans ces pots à quatorze sous, d'un si joli vert, que Renoir aimait tant regarder aux étalages ». Ce vase vernissé se retrouve dans un ensemble de natures mortes de cette période, qui rappellent les bouquets peints par Édouard Manet dans les années 1860 et 1870. Cette composition foisonnante de coquelicots et de roses, parmi d'autres espèces, occupe plus de la moitié de la surface du tableau, soulignant l'intérêt de Renoir pour la vitalité de la nature. Le travail de la lumière est souligné par le reflet sur le vernis du pot vert, indiquant l'orientation d'une fenêtre hors champ, et sur le volume du bouquet aux fleurs ouvertes tournées vers cette source lumineuse.

JD

14
Pierre-Auguste Renoir
Bouquet
1901
Huile sur toile
40 × 33 cm
Paris, musée de l'Orangerie, inv. RF 1963 15

Cette toile, acquise par Paul Guillaume en 1929, a été peinte par Renoir à Cagnes-sur-Mer, qu'il découvre en 1903 et où il s'installera quatre ans plus tard. Amateur de la peinture de fleurs qui, selon ses mots, lui « repose la cervelle », l'artiste peint de nombreux bouquets jusqu'à la fin de sa vie en 1919, et conserve cette toile dans son atelier. Le vase vernissé, similaire à celui du *Bouquet* de 1901, est représenté à mi-hauteur, accueillant des tulipes rouges, jaunes et roses qui se détachent sur un fond rouge indéfini, aux touches larges nuancées de jaune. L'intensité qui se dégage de cette nature morte, soulignée par les couleurs chaudes et un plan serré, semble illustrer un mot de l'artiste rapporté par Vollard, dans lequel il compare un bouquet de fleurs et une bataille de Delacroix.

JD

15
Pierre-Auguste Renoir
Bouquet de tulipes
1905
Huile sur toile
44 × 37 cm
Paris, musée de l'Orangerie, inv. RF 1963 20

En 1890, date de la réalisation de cette toile, Renoir épouse Aline Charigot (1859-1915), couturière et modèle du peintre. Cette amatrice de bouquets prend l'habitude d'en parsemer les demeures du couple, faisant dire à son époux : « Quand ma femme a fait un bouquet, je n'ai plus qu'à le peindre ». Ce goût rejoint l'attrait de Renoir pour la nature morte, qu'il travaille tour à tour dans des compositions complexes ou des études plus libres. Les contours de ce bouquet de roses ne sont pas définis, leur donnant leur caractère vibrant, rythmé par les touches. Le contraste des tons créé par les roses réhaussées de blanc et les feuilles d'un vert sombre ressort sur la nappe. Cette surface blanche aux jeux d'ombres bleues souligne à la fois les tons chauds du bouquet et la signature de l'artiste.

JD

16
Pierre-Auguste Renoir
Roses mousseuses
Vers 1890
Huile sur toile
35,5 × 27 cm
Paris, musée d'Orsay, inv. RF 1941 25

Renoir aimait peindre des bouquets de fleurs en en variant la composition, comme autant d'exercices sur les formes et les couleurs. Il s'est plu ici à rassembler de nombreuses espèces dont la variété permet un arrangement recherché. Renoir et a également soigné la mise en place des formes et la perspective. Les fleurs se déploient de façon asymétrique en une composition en triangle. Les roses jaunes et roses laissent échapper d'autres fleurs blanches et du feuillage vert. Les tons chauds et froids se répondent et sont mis en valeur par le fond très clair sur lequel ils se détachent.

CG

17
Pierre-Auguste Renoir
Fleurs dans un vase
1898
Huile sur toile
55 × 46 cm
Paris, musée de l'Orangerie, inv. RF 1963 14

La sobriété avec laquelle Cézanne représente ce bouquet est bien éloignée de l'exubérance que l'on peut trouver dans les compositions florales de Renoir. Cézanne s'intéresse avant tout aux jeux de couleurs. Les fleurs, peintes d'une touche spontanée, se détachent sur un fond clair marqué de lignes verticales et horizontales. Dépouillés de leurs ombres, les objets acquièrent une certaine étrangeté. Ils semblent en apesanteur, dans un ensemble aux tons bleus, sur lequel, par contraste, se détachent les pommes aux couleurs vives. Les fruits rappellent les natures mortes, beaucoup plus nombreuses dans l'œuvre de Cézanne que les tableaux de fleurs.

AM

18
Paul Cézanne
Le Vase bleu
1889-1890
Huile sur toile
61,2 × 50 cm
Paris, musée d'Orsay, Legs comte Isaac de Camondo, 1911, inv. RF 1973

Ce tableau témoigne du compagnonnage artistique de Cézanne et Camille Pissarro. Tous deux partagent l'aventure impressionniste et participent à la première exposition du groupe en 1874. Durant vingt ans, jusqu'en 1885, ils vont peindre ensemble. Ils expérimentent le paysage en plein air et s'intéressent à la nature morte, à la suite de Courbet, Manet et Fantin-Latour. On perçoit dans la *Nature morte à la soupière* le ralliement de Cézanne au mouvement impressionniste, avec l'usage d'une palette claire et d'une touche fractionnée. À l'arrière-plan, le peintre a reproduit *Rue de Gisors, la maison du père Gallien*, un paysage de Pissarro.

AM

19
Paul Cézanne
Nature morte à la soupière
Vers 1877
Huile sur toile
65 × 81,5 cm
Paris, musée d'Orsay, legs Auguste Pellerin, 1929, inv. RF 2818

Cette nature morte est l'une des œuvres de Renoir les plus inspirées par Paul Cézanne, en raison de son sujet mais aussi de sa composition très travaillée. L'agencement de la nappe aux plis savamment cassés est en effet fort réfléchi. La coupe semble posée en équilibre instable sur le bord de la table au milieu de vagues de plis. Renoir n'a pas souhaité représenter des objets figés mais plutôt une composition pleine de mouvement.

CG

20
Pierre-Auguste Renoir
Pommes et poires
Vers 1895
Huile sur toile
32 × 41 cm
Paris, musée de l'Orangerie, inv. RF 1963 19

Renoir choisit de vivre dans le Midi de la France à partir des années 1900. Il réside au Cannet ou à Cagnes-sur-Mer, où il fait construire une maison en 1908. Il peint dans le Midi de très nombreuses natures mortes, choisissant souvent comme ici un format en longueur. Les objets et les fruits de formes et de textures différentes s'enchaînent sur une nappe blanche parcourue de plis. Renoir est notamment attentif dans cette composition au rendu de la porcelaine peinte, certainement en souvenir de sa toute première formation.

CG

21
Pierre-Auguste Renoir
Fraises
Vers 1905
Huile sur toile
28 × 46 cm
Paris, musée de l'Orangerie, inv. RF 1963 17

Des années de formation du jeune Paul Cézanne (les années 1860…), nous ne connaissons essentiellement, hors les peintures du Jas de Bouffan, que diverses petites natures mortes difficilement datables, dont celle aujourd'hui au musée Granet à Aix.

Il semble avoir disposé ici dans cette scène d'intérieur une chaise basse paillée contre un mur sur laquelle il a posé une cuvette en cuivre sur le champ, devant une fontaine ou un brasero (?) du même métal, mais autrement plus brillant, provenant sans doute d'Afrique du Nord, tandis qu'un vase de fleurs repose à droite sur une table recouverte d'un tapis coloré. La perspective un peu gauche, la juxtaposition des objets sans réel rapport d'échelle témoignent de l'appréhension de l'étudiant seul face à son chevalet. Les différents objets mis en espace dans cet univers clos pourraient-ils avoir été brossés dans l'appartement familial à Aix-en-Provence ?

Cette peinture, redécouverte récemment dans une famille suisse, fit partie de la collection réunie par le magnat du textile d'origine allemande – et occasionnellement marchand – Gottlieb Friedrich Reber (Oerlinghausen, 1880 - Lausanne, 1959), qui eut entre ses mains une trentaine de toiles de Cézanne. Reber quitta l'Allemagne dans les années 1920 et s'installa avec sa famille sur les hauteurs de Lausanne, au château de Béthusy.

DM

22
Paul Cézanne
Objets en cuivre et vase de fleurs
Vers 1860
Huile sur toile
39 × 46,5 cm
Collection Fondation Pierre Gianadda, Martigny

Ces peintures de bouquets ont une histoire singulière. Aujourd'hui distinctes, elles appartenaient à un même tableau découpé au moins en deux morceaux au début du xxᵉ siècle. En 1931, Paul Guillaume acheta *Fleurs et fruits* au marchand Ambroise Vollard (1866-1939). Domenica, sa veuve, acquit *Fleurs dans un vase bleu* bien plus tard, sans savoir qu'il s'agissait de l'autre partie de l'œuvre, car les deux tableaux avaient été entretemps modifiés. Ils ont depuis été restaurés.

./.

23
Paul Cézanne
Fleurs et fruits
Vers 1880
Huile sur toile
35 × 21 cm
Paris, musée de l'Orangerie, inv. RF 1963 6

Une fois les repeints consécutifs au découpage disparus, les deux peintures ont été rapprochées. La composition aux couleurs harmonieuses, d'une grande simplicité, laisse apparaître la couleur crème de la toile de ce tableau que Cézanne laissa inachevé.

AM

24
Paul Cézanne
Fleurs dans un vase bleu
Vers 1880
Huile sur toile
30 × 23 cm
Paris, musée de l'Orangerie, inv. RF 1963 12

Cette nature morte, très simple, est réduite à l'essentiel. Elle représente quatre fruits, une poire et trois pommes vertes, à moins que ce ne soit une pêche et deux prunes. Posés à même la table, les fruits se détachent sur un mur nu. Le tableau conservé au musée de l'Orangerie ferait partie d'une série peinte entre 1873 et 1875. Il subsiste néanmoins un doute quant à l'authenticité de cette œuvre. Elle pourrait être de la main de Paul Gachet (1873-1962), fils du célèbre docteur Gachet, ami de Cézanne et protecteur de Vincent Van Gogh, qui accueillit de nombreux peintres dans sa maison d'Auvers-sur-Oise. Une huile sur carton ayant appartenu au docteur Gachet, intitulé *Pêche et poire,* semble bien représenter les mêmes fruits.

AM

25
Paul Cézanne (attr.)
Nature morte, poire et pommes vertes
1873-1875
Huile sur toile
22 × 32 cm
Paris, musée de l'Orangerie, inv. RF 1963 10

Le vase paillé, motif récurrent des natures mortes de Cézanne, donne son nom au tableau. Il est le pivot de la composition. Les fruits, à la sensualité palpable, apparaissent au premier plan d'une mise en scène théâtrale. Tandis que la table semble basculer, les jeux de lumière et de couleur structurent l'espace. Les pommes, aux teintes orangées, mordorées ou jaune lumineux, rythment la scène. Le sucrier et l'assiette blanche apportent de la lumière. Le tableau interpelle par l'intemporalité du sujet et la monumentalité avec laquelle Cézanne parvient à représenter de modestes objets du quotidien.

AM

26
Paul Cézanne
Vase paillé, sucrier et pommes
1890-1894
Huile sur toile
36 × 46 cm
Paris, musée de l'Orangerie, inv. RF 1963 9

Pêches et pommes inspirèrent souvent Renoir pour ses natures mortes. Il peignit celle-ci en Normandie, près de Dieppe, au château de Wargemont, lors d'un séjour chez son ami Paul Bérard et sa famille. Ici sont représentées des pêches dans une coupe blanche comme la nappe qui recouvre la table sur laquelle elle est posée. Cette coupe en faïence de Delft servait habituellement aux repas chez les Bérard. Elle apparaît dans plusieurs autres natures mortes que Renoir réalisa lors de ce séjour. La blancheur de la nappe et du compotier contraste avec les tons roses des pêches ainsi que le fond : papier peint, étoffe, ou tapisserie à motifs de feuillages aux tons verts, roux et bleus qui semblent former un véritable paysage. Cette composition est un nouveau prétexte pour Renoir à un exercice sur les formes et les couleurs.

CG

27
Pierre-Auguste Renoir
Pêches
1881
Huile sur toile
38 × 47 cm
Paris, musée de l'Orangerie, inv. RF 1963 16

Cézanne peint cette œuvre à l'époque où il se rallie aux impressionnistes. Ceux-ci explorent, chacun à sa manière, les thèmes du déjeuner sur l'herbe et des parties de campagne. Cette peinture évoque, tant par son titre que par l'attitude de certains personnages, la célèbre toile de Manet qui fit scandale au Salon des Refusés de 1863. Néanmoins Cézanne s'écarte de sa source d'inspiration avec ce tableau de petit format, peuplé de nombreux personnages, dont la composition serrée ouvre vers un village au lointain. L'œuvre, traitée librement, est plus esquissée qu'achevée, tant la touche est vive. La palette de tons bleus et verts est très lumineuse. Elle est rompue par la robe jaune du personnage au premier plan, et par la corbeille aux fruits rouges tendue par un homme à droite.

AM

28
Paul Cézanne
Le Déjeuner sur l'herbe
1876-1877
Huile sur toile
21 × 27 cm
Paris, musée de l'Orangerie, inv. RF 1963 11

Cette baigneuse nue sortant de l'eau dans un paysage indéterminé de nature intemporelle ramène délicatement sur son buste un drapé blanc. La chevelure dorée et déployée vient ici faire écho au mouvement imperceptible de la végétation à l'arrière-plan, rendant la scène vibrante et ondoyante de toutes parts. La douceur et la rondeur du visage semblent également en parfaite harmonie avec les chairs et les courbes du corps. D'autres baigneuses sont proches de la version conservée au musée de l'Orangerie. La *Baigneuse* de 1895 de la Barnes Foundation de Philadelphie est presque identique à l'exception du cadrage qui laisse voir plus amplement les vêtements posés sur la rive et des cheveux cachant les traits du visage.

CG

29
Pierre-Auguste Renoir
Baigneuse aux cheveux longs
Vers 1895
Huile sur toile
82 × 65 cm
Paris, musée de l'Orangerie, inv. RF 1963 23

Femme nue dans un paysage est empreinte des longues contemplations de Renoir au Louvre et de son amour pour l'art français du xviiie siècle et plus particulièrement de l'exemple des peintres Antoine Watteau et François Boucher. « La *Diane au bain* de Boucher est le premier tableau qui m'ait empoigné, et j'ai continué toute ma vie à l'aimer, comme on aime ses premières amours », déclarait Renoir à la fin de sa vie (Ambroise Vollard, *En écoutant Cézanne, Degas, Renoir* [1938], Paris, Éditions Grasset & Fasquelle, 2003, p. 208). La toile, réalisée au retour d'Italie, est marquée par l'inflexion que le peintre donne à son œuvre à cette époque. L'aspiration classique y est perceptible dans le traitement de la figure tandis que le paysage à l'arrière-plan relève encore de la fragmentation de la touche impressionniste. Les contours et les lignes de la figure se manifestent de manière plus affirmée qu'auparavant, préfigurant l'évolution ingresque du peintre. Le modèle pourrait être l'artiste peintre Suzanne Valadon (1865-1938) que Renoir a souvent représentée à cette époque.

CG

30
Pierre-Auguste Renoir
Femme nue dans un paysage
1883
Huile sur toile
65 × 54 cm
Paris, musée de l'Orangerie, inv. RF 1963 13

Cette peinture au format carré est l'une des premières œuvres de Cézanne sur le thème des baigneuses. Le peintre ne cherche pas tant à représenter la nudité qu'à composer un tableau rigoureusement agencé. Les baigneuses forment un solide triangle, ancré dans un cadre de verdure. Deux arbres verticaux campent un arrière-plan tandis qu'un autre, penché, accompagne le mouvement diagonal des deux baigneuses de gauche. Pour évoquer le tronc et le feuillage des arbres, Cézanne juxtapose les tons de vert et de jaune. L'usage du contraste entre l'ombre et la lumière donne à cette petite peinture sa force dramatique.

AM

31
Paul Cézanne
Trois baigneuses
1874-1875
Huile sur toile
19,5 × 22,5 cm
Paris, musée d'Orsay, inv. RF 1982 40

Ce tableau répond à celui des *Trois baigneuses*, tant par son format, que par la manière de peindre, en touches épaisses juxtaposées, employée par Cézanne. Comme dans son pendant féminin, les contrastes sombres et lumineux construisent la représentation. Dans les années 1875, alors qu'il rencontre le groupe des impressionnistes, Cézanne initie la série des baigneurs et de baigneuses, qu'il poursuivra toute sa carrière et dans toutes ses manières. Le sujet, constant, est celui de groupes de baigneurs ou de baigneuses dans un cadre de verdure, au bord de l'eau. Le peintre explore ainsi la représentation du nu aussi bien masculin que féminin, et son inscription dans un paysage.

AM

32
Paul Cézanne
Les Cinq Baigneurs
1876-1877
Huile sur toile
24,2 × 25,2 cm
Paris, musée d'Orsay, inv. RF 1982 42

Cézanne peint près de deux cents tableaux sur le thème des baigneurs et des baigneuses, ainsi que des dessins et des aquarelles. En explorant ce motif, il se confronte à la représentation du nu masculin et féminin. Au début du XXe siècle, il porte son attention sur la manière dont les corps, fusionnés dans le paysage, structurent l'espace de ses compositions. « Il allait vers l'abstraction des corps naturels car il ne voyait en eux que des surfaces et des volumes picturaux », commente le peintre abstrait Kasimir Malevitch. Après sa mort en 1906, Cézanne devient une référence et sa manière invite les jeunes peintres à s'affranchir des codes classiques de la représentation.

AM

33
Paul Cézanne
Baigneurs
1899-1900
Huile sur toile
22 × 33,5 cm
Paris, musée d'Orsay, inv. RF 1949 30

34
Paul Cézanne
La Barque et les baigneurs
Vers 1890
Huile sur toile (3 panneaux)
30 × 100 cm
Paris, musée de l'Orangerie, inv. RF 1960 12, RF 1960 13 et RF 1973 55

Ce tableau, découpé en trois parties probablement pour des raisons mercantiles, n'a retrouvé son intégrité qu'au début des années 1980, après que les Musées nationaux ont acquis puis restauré l'ensemble. Le format allongé rappelle sa vocation décorative, puisqu'il était destiné à orner un dessus-de-porte dans l'appartement parisien de Victor Chocquet, collectionneur et ami de Cézanne. Les baigneurs sont répartis sur deux rives, l'eau et le ciel occupant le centre de la composition, ponctuée simplement par une petite barque amarrée sur la gauche et une grande barque voguant au centre. La toile évoque l'harmonie entre l'homme et la nature, et rappelle les paysages idylliques classiques.

AM

Cette baigneuse, parmi les plus tardives réalisées par Renoir, a été acquise par Paul Guillaume en 1924, cinq ans après le décès du peintre, alors que la réception de ces nus faisait encore débat. En témoigne une lettre de Mary Cassatt, peintre impressionniste américaine : « He is painting pictures or rather studies of huge red women with very small heads which are the most awful imaginable ». L'artiste représente un de ses sujets favoris, la baigneuse, par des touches juxtaposées, alternant le rouge, le rose et le blanc pour la carnation du corps. Elle ressort d'autant plus sur ce fond aux tons verts et bruns, laissant une impression de nature foisonnante dans laquelle se fond le drapé de la baigneuse.

JD

35
Pierre-Auguste Renoir
Baigneuse assise s'essuyant une jambe
1914
Huile sur toile
51 × 41 cm
Paris, musée de l'Orangerie, inv. RF 1963 26

Renoir a cherché dans ce double portrait à capter le sentiment du moment présent. La toile, réalisée durant la période impressionniste du peintre, est animée par des touches longues et nerveuses avec un arrière-plan végétal esquissé et vibrant. Les deux personnages aux traits et aux contours imprécis se prêtent parfaitement aux subtiles recherches du peintre sur des zones d'ombre et de lumière. Il s'agirait d'un portrait de l'un des amis de Renoir, le critique d'art Georges Rivière (1855-1943), et d'une jeune femme non identifiée. La physionomie de cette dernière présente cependant des similitudes avec celle figurant dans plusieurs autres toiles de l'artiste, notamment l'une des jeunes femmes assises au premier plan du célèbre *Bal du moulin de la Galette*. Georges Rivière, quant à lui, est plusieurs fois portraituré de manière individuelle par Renoir qu'il contribua à faire connaître et à introduire dans les salons parisiens dans les années 1870. Sa fille, Hélène Rivière, épousa Edmond Renoir, neveu du peintre.

CG

36
Pierre-Auguste Renoir
Portrait d'un jeune homme et d'une fille
1876
Huile sur toile
32 × 46 cm
Paris, musée de l'Orangerie, inv. RF 1963 24

Yvonne et Christine sont les filles du peintre Henry Lerolle et de Madeleine Escudier qui tient un salon fréquenté par des peintres, poètes et musiciens. Les deux sœurs sont représentées dans l'atmosphère culturelle dans laquelle elles évoluent, jouant au piano, entourées de tableaux d'Edgar Degas. Renoir a réalisé de nombreux dessins préparatoires méditant longuement la composition de cette œuvre. Le thème de la musique dans un intérieur rejoint également celui d'autres toiles célèbres du peintre comme *Jeunes filles au piano*.

CG

37
Pierre-Auguste Renoir
Yvonne et Christine Lerolle au piano
Vers 1897
Huile sur toile
73 × 92 cm
Paris, musée de l'Orangerie, inv. RF 1960 19

Cette jeune femme posant de manière statique est un parti pris assez inhabituel pour Renoir. Le peintre préfère en effet saisir ses sujets dans des attitudes plus spontanées. Le modèle, vu de trois quarts, assise, la tête reposant sur sa main droite, semble réfléchir au contenu d'une lettre qu'elle tient dans sa main gauche. La lettre est ici un prétexte permettant à Renoir de peindre une jeune fille à la manière des figures du XVIIIe siècle réalisées par Jean-Honoré Fragonard, dont plusieurs sont conservées au musée du Louvre. Malgré la pose figée du modèle, et son regard détourné du spectateur, une grande fraîcheur se dégage du tableau.

CG

38
Pierre-Auguste Renoir
Femme à la lettre
1890-1895
Huile sur toile
65 × 54 cm
Paris, musée de l'Orangerie, inv. RF 1960 24

Les années 1890 sont marquées chez Renoir par la répétition de certains motifs dont celui des jeunes filles partageant une occupation, tenant une lettre, au piano, endormies, cueillant des fleurs… Les mêmes modèles sont alors très souvent représentés. La composition en plan rapproché oppose ici une jeune fille blonde à gauche, de profil, le menton relevé, et portant une robe sombre, à une jeune fille à droite aux cheveux bruns, figurée presque de face, la tête inclinée, coiffée d'un chapeau et portant une robe rose avec un col de dentelle. Les attitudes et les visages de ces deux fillettes se retrouvent dans plusieurs toiles de Renoir, ainsi que le rideau vert de l'arrière-plan. Renoir affectionne alors un certain type de visages aux joues pleines, des yeux en amande et une netteté des traits. L'œuvre est contemporaine des *Jeunes filles au piano* (cat. 1).

CG

39
Pierre-Auguste Renoir
Portrait de deux fillettes
1890-1892
Huile sur toile
46,5 × 55 cm
Paris, musée de l'Orangerie, inv. RF 1963 25

Paul Guillaume

En 1918, Paul Guillaume rencontre Kees Van Dongen et organise une exposition de vingt-cinq de ses tableaux. Ce peintre de la société mondaine représente le marchand douze ans plus tard dans une attitude confiante, habillé d'un costume bleu à la dernière mode, en témoin de sa réussite sociale et financière. Paul Guillaume n'est plus le débutant représenté par Modigliani comme un *Novo Pilota* (1915, Paris, musée de l'Orangerie). Le ruban de la Légion d'honneur, reçue en avril 1930 pour son activité d'éditeur et de critique d'art, et probable prétexte à la réalisation du portrait, est souligné par l'unique touche de rouge vif et la proximité de la signature de l'artiste. La maîtrise picturale s'exprime dans l'économie des moyens : seuls quelques traits de pinceau brossent le costume croisé.

JD

40
Kees Van Dongen
Portrait de Paul Guillaume
Vers 1930
Huile sur toile
100 × 74 cm
Paris, musée de l'Orangerie, inv. RF 1963 53

Pendant son enfance, Jean est affectueusement élevé par sa nourrice, la jeune Gabrielle Renard (1879-1959), et Renoir peindra son fils dès sa naissance en sa compagnie (*Jean bébé au sein de Gabrielle*, National Gallery of Scotland, Édimbourg, *Gabrielle et Jean*, pastel, 1895, musée de l'Orangerie). Vingt ans plus tard, en janvier 1913, Jean embrasse la carrière militaire dans la cavalerie. Pendant la Grande Guerre, il est d'abord dragon, puis chasseur alpin et pilote – il sera sévèrement blessé à la jambe et terminera au grade de lieutenant. Après l'Armistice, Jean Renoir, qui restera toujours handicapé, est fortement encouragé à faire du cinéma par sa jeune et très jolie fiancée, qui fut l'un des derniers modèles de son père, Andrée Heuschling (1900-1979), dite Dédée. Il l'épouse en 1920 et la fait tourner sous son nom de scène, Catherine Hessling, dans deux films muets, *Catherine ou Une vie sans joie* (1924) et *Nana* (1926) avant *La Petite Marchande d'allumettes* (1928). Séparé en 1931, Jean s'affirme bientôt comme l'un des cinéastes français les plus engagés de son temps, réalisant de nombreux films parmi lesquels *La Grand Illusion*, *La Bête humaine*, *La Règle du jeu*… En 1940, il part pour Hollywood et prend la nationalité américaine. On lui doit encore *French Cancan*, *Le Déjeuner sur l'herbe*, *Le Caporal épinglé*…, ainsi que le célèbre livre de souvenirs : *Pierre-Auguste Renoir, mon père* (1962). Jean Renoir s'est éteint en 1979 à Beverly Hills mais il est inhumé dans le cimetière d'Essoyes, à côté de ses parents. Selon ses volontés, sa dernière épouse, Dido Renoir, a immédiatement donné son grand *Portrait de Jean en chasseur* (1910) au musée de Los Angeles.

AW

41
Pierre-Auguste Renoir
Jean Renoir dans les Bras de Gabrielle
1895
Dessin à la sanguine sur papier teinté
60 × 49 cm
Fondation Pierre Gianadda, Martigny

Jean, le second fils de Renoir, est représenté ici dans les bras de Gabrielle Renard, sa gouvernante qui prend son service dans la famille Renoir un mois avant sa naissance en 1894. Âgé de moins de deux ans dans cette toile, l'enfant joue avec une figurine de bergère, tandis que Gabrielle tient un petit taureau dans ses mains. La scène est centrée sur l'attitude empreinte de tendresse de la femme envers l'enfant. En effet, si le reste du décor est à peine esquissé, la table au premier plan étant traitée comme masse brune d'où semblent émerger les jouets et la tapisserie à l'arrière-plan qui laisse deviner un motif floral, les visages des deux personnages sont, quant à eux, traités avec beaucoup de délicatesse et de soin. Renoir réalise à cette époque de nombreux portraits dessinés ou peints de son fils Jean. Il écrit à ce propos au peintre Congé « Je suis en ce moment à faire des moues de Jean, et je vous assure que ce n'est pas une cynécure [sic], mais c'est si joli, et je vous assure que je travaille pour moi, rien que pour moi » (Lettre de Renoir à Congé, 1er février 1896, Special Collections, Getty Center for the History of Art and Humanities, Santa Monica, Californie).

CG

42
Pierre-Auguste Renoir
Gabrielle et Jean
1895-1896
Huile sur toile
65 × 54 cm
Paris, musée de l'Orangerie, inv. RF 1960 18

Gabrielle Renard (1879-1959) entre au service de la famille Renoir en 1894, et devient un des modèles favoris de Renoir : elle figure dans plus de deux cents tableaux du peintre. Cependant, cette toile n'est pas tant un portrait de la jeune femme, coiffée du fameux chapeau de paille, accessoire si souvent représenté par l'artiste, mais plutôt une étude des jeux de lumière, rendue par des touches légères et vaporeuses. Réalisée après la période impressionniste, la toile reste tributaire de ses recherches : la technique est ici au service de l'impression d'éblouissement, manifestée par les ombres du sol et le bas de la jupe de Gabrielle au bleu décoloré. Le fond occupé par la végétation et le visage rond du modèle sont des caractéristiques stylistiques que développera Renoir dans la décennie suivante.

JD

43
Pierre-Auguste Renoir
Gabrielle au jardin
1905
Huile sur toile
55 × 46 cm
Paris, musée de l'Orangerie, inv. RF 1963 18

Cézanne a réalisé de nombreux dessins de son fils Paul et quelques peintures. Dans ce portrait épuré, où seul un bras de fauteuil marque l'espace, le cadrage en buste évoque celui d'une photographie. L'artiste n'hésite pas à couper abruptement le fauteuil et le modèle pour concentrer l'attention sur le sujet qui n'a d'autre occupation que la pose. Le peintre use d'une composition toute en courbes – celles du fauteuil, des épaules et du visage du jeune garçon, dont la douceur est accentuée par l'emploi d'une touche fluide et de tons délicats.

AM

44
Paul Cézanne
Portrait du fils de l'artiste
Vers 1880
Huile sur toile
35 × 38 cm
Paris, musée de l'Orangerie, inv. RF 1963 59

Troisième et dernier fils du peintre, Claude naît en 1901. Son frère aîné, Jean, raconte comment il perd alors sa place de modèle préféré peu après sa naissance, « Coco fut certainement l'un des modèles les plus prolifiques de Renoir » (Jean Renoir, *Pierre-Auguste Renoir, mon père*, Paris, 1981, p. 432). De très nombreuses études et compositions peintes prennent en effet Claude comme modèle dès sa petite enfance. Renoir, lorsqu'il représente les membres de sa famille, cherche le plus souvent à donner l'image de la spontanéité qu'il acquiert en multipliant les études et les croquis dans le cadre de la vie quotidienne, comme c'est le cas dans cette composition où le jeune garçon joue avec de petits soldats de plomb.

CG

45
Pierre-Auguste Renoir
Claude Renoir, jouant
Vers 1905
Huile sur toile
46 × 55 cm
Paris, musée de l'Orangerie, inv. RF 1963 22

C'est à la fin de sa vie que Renoir peint ce portrait de la jeune Andrée-Madeleine Heuschling. Elle fut le dernier modèle de Renoir. « Qu'elle est belle ! J'ai usé mes vieux yeux sur sa jeune peau et j'ai vu que je n'étais pas un maître mais un enfant », aurait-il déclaré. Surnommée « Dédée », elle devint par la suite comédienne et connue sous le nom de Catherine Hessling. Elle épousa le fils du peintre, Jean Renoir, et fut l'interprète de plusieurs de ses films. Le portrait où dominent les tonalités rouges et les taches de couleurs semble caractérisé par une dilution des formes représentative de la dernière manière de Renoir. La jeune femme porte une fleur dans ses cheveux. En effet l'artiste aimait associer ses figures féminines à des fleurs. À partir des années 1900, il privilégie la rose qui dans sa forme épanouie devient un attribut symbolique équivalent à la beauté de la femme.

CG

46
Pierre-Auguste Renoir
Blonde à la rose
1915-1917 (?)
Huile sur toile
64 × 54 cm
Paris, musée de l'Orangerie, inv. RF 1963 27

133

En 1915, année difficile pour Renoir : son deuxième fils Jean est à son tour grièvement blessé à la guerre, son épouse Aline Charigot-Renoir décède. Le peintre fait construire un atelier dans son jardin des Collettes à Cagnes-sur-Mer pour « travailler comme en plein air ». Avec des coups de pinceaux véloces, il brosse cette femme dont le visage incliné dégage une certaine mélancolie. Il la présente, le regard caché par un chapeau de paille agrémenté par des fleurs, la carnation des joues rosées et la bouche mise en valeur par le rouge. Le grain de la peau satinée, contraste avec le traitement de la blouse aux touches variées, rapides comme le fond du tableau.

AW

47
Pierre-Auguste Renoir
Femme au chapeau de paille
1915
Huile sur toile
35 × 27 cm
Fondation Pierre Gianadda, Martigny

Contrairement aux impressionnistes et à Cézanne, Renoir sans oublier le paysage, consacre une partie importante de son œuvre à la figure humaine. Ici, avec une touche libre, il trace avec des hachures, le décor et le buste où l'un et l'autre se confondent grâce à des touches rapides, presque lyriques et un chromatisme harmonieux de tons verts, jaunes et un peu de roses. Le visage se détache plus uni, satiné. Des éclats de lumière subtils égayent la chevelure cuivrée.

AW

48
Pierre-Auguste Renoir
Jeune Fille en buste vue de Profil
1905
Huile sur toile
23 × 17 cm
Fondation Pierre Gianadda, Martigny

Cette toile aux dimensions modestes, acquise par Paul Guillaume en 1929 avec d'autres œuvres de l'artiste, reprend un motif travaillé par Renoir à la fin de sa vie, notamment pour *Le Concert* (1918, Toronto, Art Gallery of Ontario). Probablement découpée à partir d'une toile groupant plusieurs études de motifs, cette femme accoudée, au bras droit disproportionné, est peinte à partir de touches légères, qui laissent apparaître la toile. Le visage rond à la bouche charnue et au modelé irrégulier, est caractéristique de cette période, et proche de celui de la *Femme au chapeau* (1915-1918, Paris, musée de l'Orangerie). Le fond de la composition est indistinct, à l'exception des fleurs qui se devinent derrière la figure, motif de papier peint ou évocation des bouquets peints par l'artiste.

JD

49
Pierre-Auguste Renoir
Femme accoudée
1910-1914
Huile sur toile
23 × 32 cm
Paris, musée de l'Orangerie, inv. RF 1963 28

Cette toile de petit format carré comporte les mêmes particularités que la *Femme accoudée* présente dans la collection. Les touches légères, qui laissent entrevoir la toile, alternent entre le rose et le blanc, donnant à la peau du modèle une carnation lumineuse, mise en valeur par le visage rond, le décolleté arrondi et les lèvres charnues soulignées de rouge. Cette femme au chapeau de paille orné de rubans roses, souvent rencontrée dans l'œuvre tardive de Renoir, ressort sur un fond indéfini, évoquant une végétation composée de touches bleues, vertes et rouges.

JD

50
Pierre-Auguste Renoir
Femme au chapeau
1915-1919
Huile sur toile
26 × 26 cm
Paris, musée de l'Orangerie, inv. RF 1963 21

Cette lettre est écrite depuis le Jas de Bouffan, la propriété familiale à Aix où Cézanne possède un atelier et réside quand il se trouve à Aix jusqu'à sa vente en 1899.

Cézanne, dont le caractère s'assombrit de plus en plus, envoie cette lettre à Francisco Oller, peintre portoricain, avec qui Cézanne se brouille brusquement en juillet 1895 Ce dernier réside chez le Dr Aguiar, médecin et peintre amateur cubain ami de Pissarro et du docteur Gachet.

DM

Jas de Bouffan, 15 juillet 1895

Monsieur

Votre lettre quelque peu bouffonne ne me surprend guère. – Mais tout d'abord pour avoir des comptes à régler avec vous – vous auriez dû ne pas oublier certains comptes que j'ai dû régler chez monsieur Tanguy. Passons sous silence l'essai qui n'a pas réussi chez Madame Chabot. Enfin je ne comprends guère, en quoi je peux être responsable de la perte d'argent que vous dites avoir faite durant votre séjour à Lyon. Vous pouvez faire prendre vos toiles dans l'atelier de la rue Bonaparte d'ici au quinze janvier prochain. Je vous tiens quitte de l'avance d'argent que je vous ai faite et du reste. Je souhaite que grâce à votre changement d'attitude vous puissiez prolonger votre séjour chez le Docteur Aguiar…

Adieu

Paul Cézanne

51
Lettre de Paul Cézanne
Lette adressée à Francisco Oller, de Jas de Bouffan, le 15 juillet 1895
2 pages et quart in – 8
Accompagnée d'un portrait de Cézanne
22 × 40 cm
Collection Fondation Pierre Gianadda

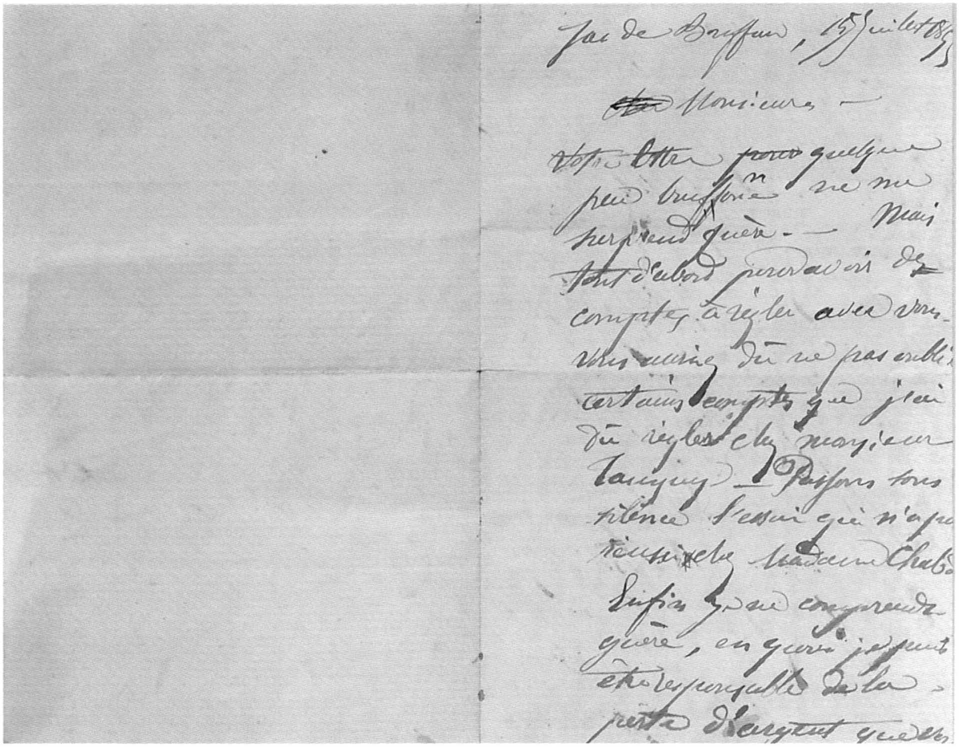

Jas de Bouffan, 15 Juillet 85

Monsieur —

Votre lettre pour quelque
peu bouffonne ne me
surprend guère. — Mais
tout d'abord pour avoir de
comptes à régler avec vous
vous aurez dû ne pas oublier
certains comptes que j'ai
dû régler chez monsieur
Tanguy — Passons sous
silence l'essai qui n'a pas
réussi de Madame Chab...
Enfin, je ne comprends
guère, en quoi je puis
être responsable de la
perte d'argent que vous

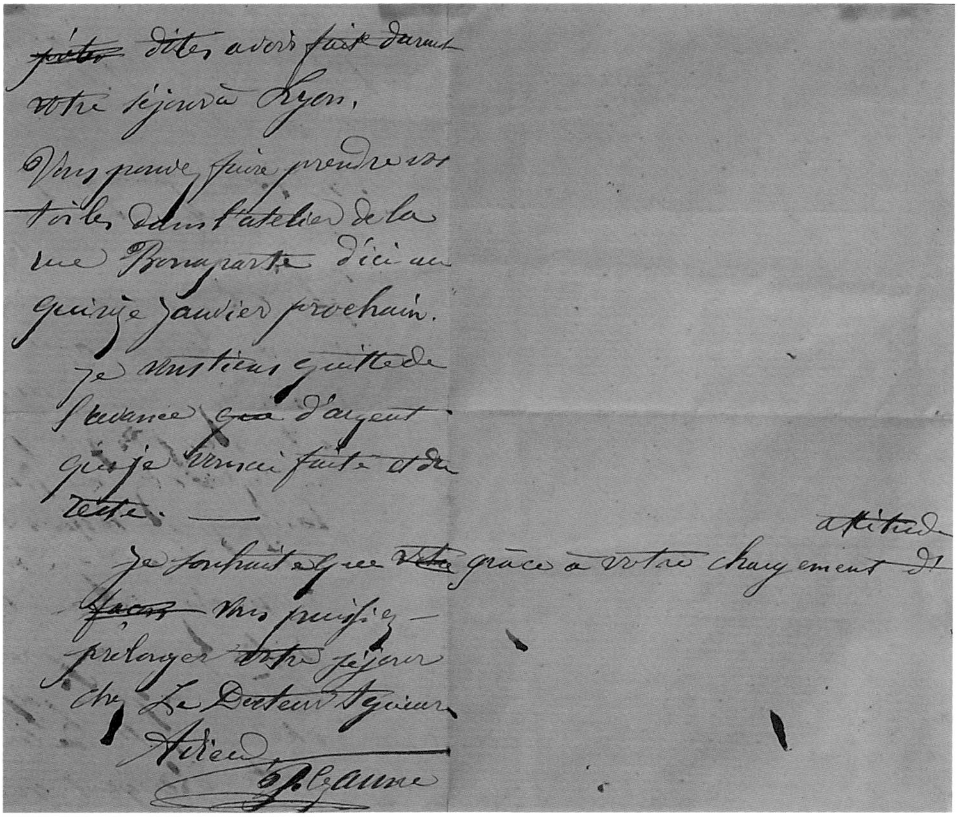

...dites avoir fait durant
votre séjour à Lyon.

Vous pourrez faire prendre vos
toiles dans l'atelier de la
rue Bonaparte d'ici au
quinze Janvier prochain.

Je vous tiens quitte de
l'avance en d'argent
que je vous ai faite et de
reste. —

Je souhaite que grâce à votre changement d'attitude
vos puissiez
prolonger votre séjour
chez Le Docteur Aguiar.

Adieu
P. Cézanne

52
Lettre de Jean Renoir
Lettre adressée à Paul Guillaume
Non daté
Papier
17,4 × 15,5 cm
Paris, musée de l'Orangerie

29 Février.

Monsieur

Mon père étant très malade et ne pouvant écrire lui même me charge de répondre à votre lettre. Il me charge de vous dire qu'il est très heureux d'être connu en Espagne, et ce que vous lui dites lui fait le plus vif plaisir. Il sera très heureux de vous recevoir et de causer avec vous.

Mais avant, je viens vous demander la grâce de ne pas lui parler d'achat de peinture. Son état de santé fait qu'il travaille avec une difficulté extrême, et il tient à garder ce qu'il a tant de mal à produire. Le seul fait de lui demander un tableau le rend malade. Donc, si vous venez à la maison, je me permets de vous faire la recommandation instante de ne pas aborder ce sujet.

Croyez, Monsieur, à mes sentiments de sympathie respectueuse

Jean Renoir
à Cagnes.

A.M.

La propriété de Château Noir avec son parc à l'abandon est l'un des sites de prédilection de Cézanne. Comme dans les carrières de Bibémus, toutes proches, le peintre y trouve une nature profuse et sauvage, qu'il représente dans une série de toiles reprenant le motif des arbres, des rochers et du ciel. Dans ce tableau, un enchevêtrement indistinct de pierres et de végétation envahit l'espace. Seules quelques touches de bleu suggèrent le ciel. Entre 1895 et 1904, Cézanne loue un cabanon dans les carrières où il passe la plupart de son temps. Il reprend inlassablement les mêmes motifs dans les mêmes lieux, près d'Aix-en-Provence, ceux qu'il parcourait dans sa jeunesse avec son ami l'écrivain Émile Zola, originaire de la région.

AM

53
Paul Cézanne
Dans le parc de Château Noir
1898-1900
Huile sur toile
92 × 73 cm
Paris, musée de l'Orangerie, inv. RF 1960 15

Les paysages désertés des carrières de Bibémus, à proximité d'Aix-en-Provence, forment le sujet de cette composition surprenante. Utilisées jusqu'au XVIIIᵉ siècle pour la construction, elles sont à l'abandon quand Cézanne les découvre et entreprend de les peindre. La végétation a repris ses droits, mais la roche garde la marque du travail des hommes. Comme dans la plupart des paysages de Cézanne – excepté ceux qui sont « habités » par des baigneurs et baigneuses – aucune figure n'y est jamais représentée : le peintre se consacre tout entier au motif. Il emploie une touche directionnelle, posée de manière régulière, quasi systématique, pour évoquer le bleu du ciel, le rouge des pierres et le vert des arbres. À travers les frondaisons, un chemin indique que ce paysage sauvage reste néanmoins habité.

AM

54
Paul Cézanne
Le Rocher rouge
Vers 1895-1900
Huile sur toile
92 × 68 cm
Paris, musée de l'Orangerie, inv. RF 1960 14

Cette toile, chef-d'œuvre de Cézanne, témoigne de sa maîtrise de la nature morte. Au moyen d'éléments simples, une assiette et quelques pommes, Cézanne crée une composition d'un grand équilibre. À l'arrière-plan, on devine un motif de papier peint dans les tons bleutés, en contraste duquel les pommes mordorées, modelées par une subtile gradation de couleurs et soigneusement cernées d'ombres, semblent surgir de la toile. Les recherches du peintre sur la stylisation des formes et le rendu des volumes par la couleur sont pleinement abouties. On songe alors aux conseils de Cézanne à l'artiste Émile Bernard en 1904, repris par les peintres modernes : « Tout dans la nature se modèle sur la sphère, le cône et le cylindre, il faut apprendre à peindre sur ces figures simples, on pourra ensuite faire tout ce qu'on voudra ».

AM

55
Paul Cézanne
Pommes et biscuits
Vers 1880
Huile sur toile
45 × 55 cm
Paris, musée de l'Orangerie, inv. RF 1960 11

Seule toile cubiste conservée par Domenica Walter, cette nature annonce le « retour à l'ordre » du début des années 1920, qui tente de réconcilier les avant-gardes et l'art plus traditionnel. Le genre académique de la nature morte est traité par superposition de plans et de plages de couleurs, dans la veine du cubisme tardif. La perspective y est malmenée par l'opération de synthèse des points de vue : la table est vue à la fois de côté et de haut en bas. La palette reste sombre, aux tons bruns et noirs, soulignés par le tracé des contours. L'héritage de Cézanne, dont Picasso se considère comme le petit-fils, se lit dans le choix et la répartition des objets, savamment désordonnés, et dans les dispositifs formels qui sont ceux inventés par le maître aixois.

JD

56
Pablo Picasso
Grande nature morte
1917
Huile sur toile
87 × 116 cm
Paris, musée de l'Orangerie, inv. RF 1963 80

Ce nu de Gabrielle Renard, au service de la famille depuis 1894, a été décliné par le peintre en trois versions, toutes aux formats horizontaux. Il évoque les Vénus de Rubens aux chairs lumineuses, celles de Titien à la figure allongée sur des coussins, ou encore la *Maja desnuda* de Goya, autant de maîtres qu'il a pu admirer lors de ses séjours en Italie en 1881 et en Espagne en 1892. Réalisée au moment de l'entrée de l'*Olympia* de Manet au Louvre, cette toile suggère *a contrario* une forme de pudeur par le regard baissé du modèle. Si Renoir s'inscrit ici dans la tradition européenne des nus couchés dans un intérieur, il s'agit d'un motif rare dans son œuvre, le peintre lui préférant les *Baigneuses* en pleine nature, telle la *Nymphe au bord d'un ruisseau* (1869-1970, Londres, The National Gallery).

JD

57
Pierre-Auguste Renoir
Femme nue couchée (Gabrielle)
1906-1907
Huile sur toile
67 × 160 cm
Paris, musée de l'Orangerie, inv. RF 1960 22

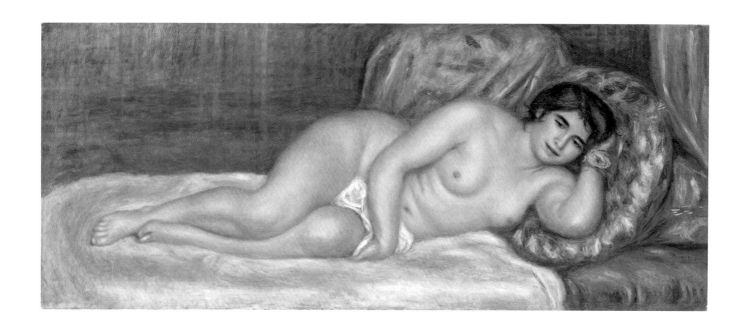

Acquise par Paul Guillaume en 1927, la toile est conservée par Domenica Walter avec la *Grande baigneuse* de 1921 (également au musée de l'Orangerie). Cette figure féminine, aux proportions monumentales, s'inscrit dans la période dite néoclassique, celle du retour à l'ordre, aux sources multiples. Les mouvements de torsion du corps sont empruntés à Michel-Ange, les distorsions à Ingres, l'attitude de la baigneuse à Renoir, dont deux *Baigneuses* se trouvent dans la collection personnelle de Picasso (Musée national Picasso-Paris). Les traits schématiques du visage et la lourdeur des formes sont une réminiscence des figures travaillées par le peintre espagnol en 1906-1907, dans sa période rose, ton qui domine la composition.

JD

58
Pablo Picasso
Grand nu à la draperie
1923
Huile sur toile
160 × 95 cm
Paris, musée de l'Orangerie, inv. RF 1960 33

Au départ, Renoir fait un apprentissage dans un atelier de peinture sur porcelaine à Paris. Puis il étudie à l'Académie des Beaux-Arts et à celle de Charles Gleyre. Il devient peintre et fait partie de ce célèbre mouvement : l'impressionnisme. Après une longue carrière de peintre il se met à la sculpture et pour mener à bien ses projets étant donné son grand âge, et ses rhumatismes, il collabore avec **Richard Guinot**, né à Gérone (Espagne) en 1890 et décédé à Antony en 1973. La créativité de Renoir est servie par le talent de Guino qui exécute les projets de Renoir.

Ici Renoir dessine le projet. Guino exécute un plâtre de l'esquisse de Renoir, puis c'est la fonte en bronze. C'est une image qui représente l'eau. La jeune femme tient des 2 mains un linge mouillé, elle est accroupie. Ses formes sont rondes, des cheveux tressés entourent son front et sa tête. Cette laveuse exécute un travail simple, quotidien. On retrouve là les impressionnistes qui s'inspirent non plus de la mythologie ou de l'histoire, mais de la vie moderne. Il n'a pas sculpté une Vénus, mais une jeune femme réalisant une besogne courante. Elle est en mouvement, elle montre une action, et cela c'est aussi le propre des impressionnistes.

AW

59
Pierre-Auguste Renoir et Richard Guino
L'Eau ou Grande laveuse accroupie
Bronze
Patine noire, fondu par la Fonderie Susse, à Paris, sous la direction de Jean Renoir,
fils de l'artiste en 1960, d'après un plâtre de 1917
127 × 124,5 × 57,7 cm
Exemplaire signé *Renoir* et *By Renoir* 1960 et lettré *E*
Cachet du fondeur Susse Fondeur Paris

Paul Cézanne (1839 – 1906)
Biographie

Tout en étudiant le droit à Aix-en-Provence, Paul Cézanne s'inscrit à l'école municipale de dessin de la ville. En 1862, il abandonne sa carrière juridique et rejoint à Paris son ami Émile Zola (1840-1902). Il copie les peintures anciennes au musée du Louvre et les peintures contemporaines au musée du Luxembourg où il découvre l'art d'Eugène Delacroix (1798-1863). En 1872, il s'installe à Auvers-sur-Oise où il peint avec Camille Pissarro (1830-1903) et participe à l'exposition fondatrice du groupe impressionniste à Paris en 1874.

Cézanne se partage entre Paris et la Provence. Il abandonne l'impressionnisme mais reste fidèle au travail en plein air et aux ombres colorées. Vers 1890-1895, sa peinture se renouvelle par un changement radical de style et de facture, dessinant fortement les contours des objets, esquissant seulement les modelés.

En 1895, sa première exposition chez le marchand Ambroise Vollard (1866-1939) le révèle au public. Les jeunes peintres le révèrent alors comme le précurseur de la peinture moderne par son sens du volume et l'importance donnée à la structure géométrique, «notre père à nous tous» dira Pablo Picasso (1881-1973). Son œuvre comprend principalement des natures mortes et des paysages de Provence. Il laisse également des portraits et des représentations de femmes au bain.

C'est Domenica Walter (1898-1977), la veuve de Paul Guillaume, qui achète la majorité des tableaux de Cézanne aujourd'hui conservés au musée de l'Orangerie.

Émile Bernard, Cézanne devant « Les Grandes Baigneuses », Photographie, Musée d'Orsay, Paris

Pierre-Auguste Renoir (1841 – 1919)
Biographie

D'abord peintre sur porcelaine, Pierre-Auguste Renoir rencontre dans l'atelier du peintre Charles Gleyre (1806-1874), Claude Monet (1840-1926), Alfred Sisley (1839-1899) ainsi que Frédéric Bazille (1841-1870) et pratique avec eux la peinture de plein air dans les environs de la capitale. Ces artistes peinent à s'imposer au Salon officiel de peinture. Renoir y expose enfin en 1864 puis participe aux premières expositions «impressionnistes» en 1874 et 1876 avec des sujets tirés de la vie contemporaine. Il trouva enfin le succès au Salon de 1879, en se détachant progressivement du mouvement impressionniste. Il voyage en Italie en 1881, où il découvre les fresques de Pompéi et l'art de la Renaissance. Il expérimente alors des méthodes et des sujets plus traditionnels.

Les années 1890 apportent la gloire à Renoir. Il touche de nouveaux amateurs tout en étant soutenu par de puissants marchands. L'artiste peint désormais dans ses trois résidences : à Paris, dans sa demeure du village d'Essoyes dans l'Aube, puis dans le Midi au tournant des années 1900 où il acquiert une propriété nommée Les Collettes. Renoir portraiture désormais sa famille et peint des femmes sculpturales, dans de luxuriants paysages, conciliant ligne et couleur.

Paul Guillaume apprécie beaucoup sa peinture et en fait un commerce actif dans les années 1920 et 1930. Les tableaux de Renoir occupent la place d'honneur dans ses appartements successifs et ceux de sa veuve Domenica.

Anonyme
Pierre-Auguste Renoir
Vers 1900, photographie

Liste des œuvres exposées

1. **Pierre-Auguste Renoir**
Jeunes filles au piano
Vers 1892
Huile sur toile
116 × 81 cm
Paris, musée de l'Orangerie,
inv. RF 1960 16

2. **Paul Cézanne**
Madame Cézanne au jardin
1879-1880
Huile sur toile
80 × 63cm
Paris, musée de l'Orangerie,
inv. RF 1960 8

3. **Pierre-Auguste Renoir**
Claude Renoir en clown
1909
Huile sur toile
120 × 77 cm
Paris, musée de l'Orangerie,
inv. RF 1960 17

4. **Paul Cézanne**
Portrait de Madame Cézanne
1885-1895
Huile sur toile
81 × 65 cm
Paris, musée de l'Orangerie,
inv. RF 1960 9

5. **Pierre-Auguste Renoir**
Paysage de neige
Vers 1875
Huile sur toile
51 × 66 cm
Paris, musée de l'Orangerie,
inv. RF 1960 21

6. **Paul Cézanne**
Arbres et maisons
Vers 1885
Huile sur toile
54 × 73 cm
Paris, musée de l'Orangerie,
inv. RF 1963 8

7. **Pierre-Auguste Renoir**
Chalands sur la Seine
Vers 1869
Huile sur toile
47 × 64,5 cm
Paris, musée d'Orsay, inv. RF 3667

8. **Pierre-Auguste Renoir**
Marine, Guernesey
1883
Huile sur toile
46 × 56 cm
Paris, musée d'Orsay, inv. RF 1973 22

9. **Paul Cézanne**
Route de village, Auvers
1872-1873
Huile sur toile
46 × 55,3 cm
Paris, musée d'Orsay, inv. RF 1973 12

10. **Pierre-Auguste Renoir**
Le Poirier d'Angleterre
Vers 1873
Huile sur toile
66,5 × 81,5 cm
Paris, musée d'Orsay, inv. RF 2012 5

11. **Paul Cézanne**
Paysage au toit rouge ou
Le Pin à L'Estaque
1875-1876
Huile sur toile
73 × 60 cm
Paris, musée de l'Orangerie,
inv. RF 1963 7

12. **Pierre-Auguste Renoir**
*Paysage algérien, le ravin
de la femme sauvage,*
1881
Huile sur toile
65 × 81,5 cm
Paris, musée d'Orsay, inv. RF 1943 62

13. **Pierre-Auguste Renoir**
Bouquet dans une loge
Vers 1880
Huile sur toile
40 × 51 cm
Paris, musée de l'Orangerie,
inv. RF 1960 20

14. **Pierre-Auguste Renoir**
Bouquet
1901
Huile sur toile
40 × 33 cm
Paris, musée de l'Orangerie,
inv. RF 1963 15

15. **Pierre-Auguste Renoir**
Bouquet de tulipes
1905
Huile sur toile
44 × 37 cm
Paris, musée de l'Orangerie,
inv. RF 1963 20

16. **Pierre-Auguste Renoir**
Roses mousseuses
Vers 1890
Huile sur toile
35,5 × 27 cm
Paris, musée d'Orsay, inv. RF 1941 25

17. **Pierre-Auguste Renoir**
Fleurs dans un vase
1898
Huile sur toile
55 × 46 cm
Paris, musée de l'Orangerie,
inv. RF 1963 14

18. **Paul Cézanne**
Le Vase bleu
1889-1890
Huile sur toile
61,2 × 50 cm
Paris, musée d'Orsay, Legs comte Isaac
de Camondo, 1911, inv. RF 1973

19. **Paul Cézanne**
Nature morte à la soupière
Vers 1877
Huile sur toile
65 × 81,5 cm
Paris, musée d'Orsay, legs Auguste
Pellerin, 1929, inv. RF 2818

20. **Pierre-Auguste Renoir**
Pommes et poires
Vers 1895
Huile sur toile
32 × 41 cm
Paris, musée de l'Orangerie,
inv. RF 1963 19

21. **Pierre-Auguste Renoir**
Fraises
Vers 1905
Huile sur toile
28 × 46 cm
Paris, musée de l'Orangerie,
inv. RF 1963 17

22. **Paul Cézanne**
Objets en cuivre et vase de fleurs
Vers 1860
Huile sur toile
39 × 46,5 cm
Collection Fondation Pierre Gianadda,
Martigny

23. **Paul Cézanne**
Fleurs et fruits
Vers 1880
Huile sur toile
35 × 21 cm
Paris, musée de l'Orangerie,
inv. RF 1963 6

24. **Paul Cézanne**
Fleurs dans un vase bleu
Vers 1880
Huile sur toile
30 × 23 cm
Paris, musée de l'Orangerie,
inv. RF 1963 12

25. **Paul Cézanne** (attr.)
Nature morte, poire et pommes vertes
1873-1875
Huile sur toile
22 × 32 cm
Paris, musée de l'Orangerie,
inv. RF 1963 10

26. **Paul Cézanne**
Vase paillé, sucrier et pommes
1890-1894
Huile sur toile
36 × 46 cm
Paris, musée de l'Orangerie,
inv. RF 1963 9

27. **Pierre-Auguste Renoir**
Pêches
1881
Huile sur toile
38 × 47 cm
Paris, musée de l'Orangerie,
inv. RF 1963 16

28. **Paul Cézanne**
Le Déjeuner sur l'herbe
1876-1877
Huile sur toile
21 × 27 cm
Paris, musée de l'Orangerie,
inv. RF 1963 11

29. **Pierre-Auguste Renoir**
Baigneuse aux cheveux longs
Vers 1895
Huile sur toile
82 × 65 cm
Paris, musée de l'Orangerie,
inv. RF 1963 23

30. **Pierre-Auguste Renoir**
Femme nue dans un paysage
1883
Huile sur toile
65 × 54 cm
Paris, musée de l'Orangerie,
inv. RF 1963 13

31. **Paul Cézanne**
Trois baigneuses
1874-1875
Huile sur toile
19,5 × 22,5 cm
Paris, musée d'Orsay, inv. RF 1982 40

32. **Paul Cézanne**
Les Cinq Baigneurs
1876-1877
Huile sur toile
24,2 × 25,2 cm
Paris, musée d'Orsay, inv. RF 1982 42

33. **Paul Cézanne**
Baigneurs
1899-1900
Huile sur toile
22 × 33,5 cm
Paris, musée d'Orsay, inv. RF 1949 30

34. **Paul Cézanne**
La Barque et les baigneurs
Vers 1890
Huile sur toile (3 panneaux)
30 × 100 cm
Paris, musée de l'Orangerie,
inv. RF 1960 12, RF 1960 13 et RF 1973 55

35. **Pierre-Auguste Renoir**
Baigneuse assise s'essuyant une jambe
1914
Huile sur toile
51 × 41 cm
Paris, musée de l'Orangerie,
inv. RF 1963 26

36. **Auguste Renoir**
Portrait d'un jeune homme et d'une fille
1876
Huile sur toile
32 × 46 cm
Paris, musée de l'Orangerie,
inv. RF 1963 24

37. **Pierre-Auguste Renoir**
Yvonne et Christine Lerolle au piano
Vers 1897
Huile sur toile
73 × 92 cm
Paris, musée de l'Orangerie,
inv. RF 1960 19

38. **Pierre-Auguste Renoir**
Femme à la lettre
1890-1895
Huile sur toile
65 × 54 cm
Paris, musée de l'Orangerie,
inv. RF 1960 24

39. **Pierre-Auguste Renoir**
Portrait de deux fillettes
1890-1892
Huile sur toile
46,5 × 55 cm
Paris, musée de l'Orangerie,
inv. RF 1963 25

40. **Kees Van Dongen**
Portrait de Paul Guillaume
Vers 1930
Huile sur toile
100 × 74 cm
Paris, musée de l'Orangerie,
inv. RF 1963 53

41. **Pierre-Auguste Renoir**
Jean Renoir dans les Bras de Gabrielle
1895
Dessin à la sanguine sur papier teinté
60 × 49 cm
Fondation Pierre Gianadda, Martigny

42. **Pierre-Auguste Renoir**
Gabrielle et Jean
1895-1896
Huile sur toile
65 × 54 cm
Paris, musée de l'Orangerie,
inv. RF 1960 18

43. **Pierre-Auguste Renoir**
Gabrielle au jardin
1905
Huile sur toile
55 × 46 cm
Paris, musée de l'Orangerie,
inv. RF 1963 18

44. **Paul Cézanne**
Portrait du fils de l'artiste
Vers 1880
Huile sur toile
35 × 38 cm
Paris, musée de l'Orangerie,
inv. RF 1963 59

45. **Pierre-Auguste Renoir**
Claude Renoir, jouant
Vers 1905
Huile sur toile
46 × 55 cm
Paris, musée de l'Orangerie,
inv. RF 1963 22

46. **Pierre-Auguste Renoir**
Blonde à la rose
915-1917 (?)
Huile sur toile
64 × 54 cm
Paris, musée de l'Orangerie,
inv. RF 1963 27

47. **Pierre-Auguste Renoir**
Femme au chapeau de paille
1915
Huile sur toile
35 × 27 cm
Fondation Pierre Gianadda, Martigny

48. **Pierre-Auguste Renoir**
Jeune Fille en buste vue de Profil
1905
Huile sur toile
23 × 17 cm
Fondation Pierre Gianadda, Martigny

49. **Pierre-Auguste Renoir**
Femme accoudée
1910-1914
Huile sur toile
23 × 32 cm
Paris, musée de l'Orangerie,
inv. RF 1963 28

50. **Pierre-Auguste Renoir**
Femme au chapeau
1915-1919
Huile sur toile
26 × 26 cm
Paris, musée de l'Orangerie,
inv. RF 1963 21

51. **Lettre de Paul Cézanne**
Lette adressée à Francisco Oller,
de Jas de Bouffan, le 15
juillet 1895
2 pages et quart in – 8
Accompagnée d'un portrait de Cézanne
22 × 40 cm
Collection Fondation Pierre Gianadda

52. **Lettre de Jean Renoir**
Lettre adressée à Paul Guillaume
Non daté
Papier
17,4 × 15,5 cm
Paris, musée de l'Orangerie

53. **Paul Cézanne**
Dans le parc de Château Noir
1898-1900
Huile sur toile
92 × 73 cm
Paris, musée de l'Orangerie,
inv. RF 1960 15

54. **Paul Cézanne**
Le Rocher rouge
Vers 1895-1900
Huile sur toile
92 × 68 cm
Paris, musée de l'Orangerie,
inv. RF 1960 14

55. **Paul Cézanne**
Pommes et biscuits
Vers 1880
Huile sur toile
45 × 55 cm
Paris, musée de l'Orangerie,
inv. RF 1960 11

56. **Pablo Picasso**
Grande nature morte
1917
Huile sur toile
87 × 116 cm
Paris, musée de l'Orangerie,
inv. RF 1963 80

57. **Pierre-Auguste Renoir**
Femme nue couchée (Gabrielle)
1906-1907
Huile sur toile
67 × 160 cm
Paris, musée de l'Orangerie,
inv. RF 1960 22

58. **Pablo Picasso**
Grand nu à la draperie
1923
Huile sur toile
160 × 95 cm
Paris, musée de l'Orangerie,
inv. RF 1960 33

59. **Pierre-Auguste Renoir
et Richard Guino**
L'Eau ou Grande laveuse accroupie
Bronze
Patine noire, fondu par la Fonderie
Susse, à Paris, sous la direction de
Jean Renoir, fils de l'artiste en 1960,
d'après un plâtre de 1917
127 × 124,5 × 57,7 cm
Exemplaire signé *Renoir* et
By Renoir 1960 et lettré *E*
Cachet du fondeur Susse Fondeur Paris

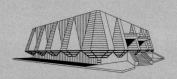

Nous tenons à témoigner notre gratitude aux généreux mécènes, donateurs et Amis de la Fondation qui, par leur soutien, nous permettent la mise sur pied de notre programme de concerts et d'expositions.

Nous remercions tout particulièrement :

La Commune de Martigny
L'Etat du Valais

Banque Cantonale du Valais
Caves Orsat-Domaines Rouvinez SA, Martigny
Champagne Pommery
Fiduciaire Bender SA, Martigny
Fondation Coromandel, Genève
Fondation Philanthropique Famille Sandoz
Groupe Mutuel, Martigny
Hôtel La Porte d'Octodure, Martigny-Croix
Martigny Boutique Hôtel, Martigny
Hôtel Vatel, Martigny
Le Nouvelliste
Loterie Romande
M. André Mayer, Zoug
M. Daniel Marchesseau, Paris
Morand Louis et Mireille-Louise, Martigny
Office du Tourisme - Société de développement, Martigny
Pour-Cent Culturel Migros
Thea Pharma, Clermont-Ferrand, France
Thea Pharma, Schaffhausen
Touring Club Suisse Valais
Le Tunnel du Grand-Saint-Bernard
Veuthey & Cie SA, Martigny
Mme Chantal Wohlwend, Martigny
Zurich Assurances

ainsi que :

La Fondation Pierre Gianadda

Temple de platine à Fr. 5000.-

Christie's Auctions and private Sales, Genève
Devillard Holding SA, Claude Devillard,
    Genève
Groupe Bernard Nicod, Lausanne
Louis Morand & Cie SA, Distillerie, Martigny
Magnier John, Verbier
Maroger Marie-Bertrande et Jean-Michel,
    Chemin
Matériaux Plus SA, Martigny
Musumeci SPA, Quart, Italie
Nestlé Waters (Suisse) SA, Henniez
SGA, Gaëlle Izzo et Pierre-Alain Mettraux,
    Sion
Sinergy Commerce SA, Martigny

Chapiteau d'or à Fr. 1000.-

Agence de concerts CAECILIA Sàrl, Genève
Anthamatten Meubles SA,
    Bernard Anthamatten, Vétroz
Ascenseurs Schindler SA, Lausanne,
    succursale de Sion
Association Découvertes,
    St-Julien-en-Genevois, France
Association Swiss Made Culture,
    Crans-Montana
Barat Didier, Martigny
Barents Maria et Jan, Verbier
Belloni Valérie, Avully
Benedick Rolando, Milan, Italie
Bernheim Catherine, Crans-Montana
Berrut G. et J., Hôtel Bedford, Paris, France
Beyersdorf Doris, Genève
Boucheron Alain, Zermatt
Buser Matériaux SA, Martigny
Café-Restaurant Le Rustique, Claude Risch,
    Sion
Cappi-Marcoz SA, agence en douane,
    Martigny
Catalan anonyme, Monthey
Chevrier Nicolas, Bramois
Cligman Martine, Paris, France
Commune de Bagnes, Le Châble
Compagnies de Chemins de Fer,
    Martigny-Châtelard, Martigny-Orsières
Conforti SA, Martigny
Constantin Jean-Claude, Martigny
Corboud Marisol, Blonay

Couchepin Jean-Jules, Martigny
Couchepin Jean-Jules, Martigny
Couchepin Pascal, Martigny
Cretton Georges-André, Martigny
Crittin Myriam et Pierre, Martigny
Darbellay Caty, Martigny
Debiopharm Research & Manufacturing SA,
    Martigny
Demartines Nicolas, Pully
Dcmole Guy, Genève
De Ségur Isabelle, Crans-Montana
DL Immobilier SA, Martigny
Duay Sàrl, Martigny
Electromike Sàrl, Martigny
Etude Bernasconi & Terrier,
    Vincent Bernasconi, Genève
Favre SA, transports internationaux,
    Martigny
Feux d'artifice UNIC SA, Patrick Gonnin,
    Romans sur Isère, France
Fidag SA, fiduciaire, Martigny
Fischer Sonia, Thônex
Fournier Martigny SA, Martigny
Garages Hotz SA, Travers
G. J.-M., Vétroz
Garzoli Elisabeth, Kilchberg
Gérald Besse SA, Martigny-Croix
Gétaz-Miauton SA, Vevey
Gianadda François, Martigny
Givel Fuchs Anne-Claire, Morges
Grande Dixence SA, Sion
Groupe Bernard Nicod, Lausanne
GVArt SA, Meyrin
Hahnloser Bernhard et Mania, Berne
Hersaint Evangeline, Crans-Montana
Hotel Mont Cervin Palace, Zermatt
Huber & Torrent, David Torrent, Martigny
ISR Sàrl, Rodrigues Paolo, Martigny
Jenny Klaus, Zurich
Kuhn & Bülow Versicherungsmakler GmbH,
    Berlin, Allemagne
Kuhn & Bülow, Versicherungsmakler, Zürich
Lagonico Carmela, Cully
Leibovich Felix, Uvrier
Les Fils de Charles Favre SA, Sion
Les Fils de Serge Moret SA, Charrat
Lonfat Raymond et Amely, Sion
Luy Hannelore, Martigny

Marquet-Zao Françoise, Rolle
Martin Nicole, Lyon, France
Mayer & Cie AG, Zug
Menardi Construction, Gland
Merzbacher Kunststiftung, Küsnacht
Mintra Trade Inv. Co., Chistian Fioretti,
    Genève
Moret Corinne et Xavier, Martigny
Municipalité de Salvan
Murisier-Joris Pierre-André, Martigny
Nemitz Ivan, Estavayer-le-Lac
Neubourg Hélène, Pully
Odier Patrick, Lombard Odier & Cie, Genève
Oltramare Yves, Vandœuvres
OV Color Sàrl, Martigny
P. M., Martigny
Papilloud Jean-Daniel, St-Séverin
Papilloud Jean-Henry et Cantinotti Sophia,
    Martigny
Perruchoud Pascal, Sion
Polli et Cie SA, Martigny
Pot Philippe, Lausanne
Primat Bérengère, Crans-Montana
Restaurant «Le Bourg-Ville», Claudia et
    Ludovic Tornare-Schmucki, Martigny
Restaurant «Le Loup Blanc», Maria et
    Fred Faibella, Martigny
Rhôneole SA, Vernayaz
Rhôneole SA, Vernayaz
Rigips SA, Granges
Roduit Bernard, Fully
Salamin Electricité, Martigny
Sanval SA, Jean-Pierre Bringhen, Martigny
Saudan les Boutiques, Martigny
Starjet, Nicolas Ducommun, Sion
Theytaz Jean, Vevey
Thierry Solange, Bruxelles, Belgique
Toscani Claudia et Jacopo, Milan, Italie
Ulivi Construction Sàrl, Alain Ulivi, Martigny
Vannay Stéphane, Martigny
Wehrli Dorothea, Villars-sur-Glâne
Zurcher-Michellod Madeleine et Jean-Marc,
    Martigny

Stèle d'argent à Fr. 500.-

Ambassade de la Principauté de Monaco,
    Berne
Anderson Gabriela et Keith, Champéry

Anonyme, Barcelone, Espagne

Anonyme, Clarens

Antinori Ilaria, Bluche-Randogne

Arcusi Jacques, Vacqueyras, France

Association du Personnel Enseignant Primaire et Enfantine de Martigny (APEM)

Association les Nouveaux Mécènes de Courbet, Besançon, France

Bachmann Roger, Cheseaux-Noréaz

Bailey Edwin, Verbier

Bailey Edwin, Verbier

Balet Chantal, Grimisuat

Barreau Namhee, Zug

Baudry Gérard, Grand-Lancy

Bender Emmanuel, Martigny

Berg-Andersen Bente et Per, Crans

Berger Peter, Pully

Bestazzoni Umberto, Martigny

Bolomey Marianne, La Tour-de-Peilz

Borgnana Zulian Antoinette, Veyrier

Borrini Colette, Bâle

Borstcher Emma, Vétroz

Bory Gérald et Caroline, Nyon

Bossy Jacqueline, Sion

Bourban Narcisse, Haute-Nendaz

Bourgeoisie de Martigny

Briner Janet et Robert, Conches

Bruellan SA, Crans-Montana

Bruellan SA, Jean-François Beth, Verbier

Brun Jean-François, Riddes

Buhler-Zurcher Dominique et Jean-Pierre, Martigny

Bünzli Jean-Claude, Romanel-sur-Lausanne

Burgener Jean-François, Martigny

Burgener Jean-François, Martigny

Café Moccador SA, Martigny

Café-Restaurant de Plan-Cerisier, Martigny-Croix

Casella Gérard, Jouxtens-Mézery

Cave Gérard Raymond, Saillon

Cavé Jacques, Martigny

Charpentier Laurent, Annecy, France

Chaudet Marianne, Chexbres

Chavaz Denis, Sion

Couchepin-Vouilloz Anne-Laure et Gonzague, Martigny

Crand Jean-François, Les Houches, France

Crausaz Auguste, Ollon

CVS Confort & Cie S.A., Martigny

Darbellay Marie-Laurence, Liddes

Darbellay Pascal, en sa mémoire par Marie-Joëlle, Liddes

Dayde Latham Béatrix, Lausanne

De Brantes Marina et Guy, La Conversion

De Pierre Gilbert, Ried-Brig

De Roten Pierre-Christian, Sion

De Ruiter Ruud, Euseigne

De Villers Roland, Montmerle-sur-Saône, France

Debons Architecture SA, Armand Debons, Martigny

Debons Pierre-Alain, Sion

Delaloye Gaby & Fils SA, Ardon

Dénériaz Groupe Holding SA, Sion

Desponds Liliane, Territet

Ducrey Guy, Martigny

Ducrey Nicolas, Sion

Ducrot Michel, Martigny

Dupré Chantal, Le Mont-sur-Lausanne

Dutoit Michel, Ovronnaz

Erard Suzanne et Philippe, Blonay

Farine Françoise, Thônex

Farnier Jean-Pierre, Crans-Montana

Fasmeyer Françoise, Sion

Ferrari Lise et Pierre, Grandvaux

Fiduciaire Yearling Company SA, Joël Le Rouge, Bulle

Fischer Pierre-Edouard, Rolle

Fischer Pierre-Edouard, à la mémoire de Lucienne Fischer, Rolle

Fondation JFZ, Vaduz, Liechtenstein

Fondazione Paola Angela Ruminelli, Antonio Pagani, Domodossola, Italie

Ganne Bertrand, St-Cergue

Georg Waechter Memorial Foundation, Vaduz

Ghika Joseph-André, Sion

Gianadda Gilberte, Martigny

Giovanola Claude, Monthey

Giroud Frédéric, Martigny

Gollut Fabienne, Vevey

Grand Chantal, Martigny

Grand Emmanuel, Martigny

Grand Jean-Luc, St-Imier

Guédon François, Anzère

Guerry Nicole et André, Cossonay

Guex-Mencia Carmen, Martigny

Haas & Company AG, Peter Haas, Zurich

Heimendinger Yaël, Icogne

Heine Holger, Oberwil

Hoebreck Liliane et Jean-Paul, Montreux

Hofstetter-Couchepin Corinne, Pully

Hoirie Edouard Vallet, Genève

Hôtel-Club Sunways, Stéphanie et Laurent Lesdos, Champex

Hôtel du Rhône, Otto Kuonen, Martigny

Howald Pierre, Prilly

Hunziker Heidi, Territet

Ibghi Eve-Marie, Chamonix, France

IDIAP, Institut de recherche, Martigny

Imwinkelried Christine, Martigny

Inoxa Perolo et Cie, Conthey

Israelin Fabienne et Steve, Lavey-Village

Jacquérioz Alexis, Martigny

Jarrett Stéphanie, Mont-sur-Rolle

Kahn François, Martigny

Köhli Josette, Grand-Saconnex

L. J., Martigny

Lachat François, Porrentruy

Lagger Elisabeth, Sion

Lavomatic, Pierre Martin, Monthey

Les Fils de Charles Favre SA, Sion

Levy Evelyn, Jouxtens-Mézery

Lindner Felix, Reinach

Lüscher Monique, Clarens

Maillard Alain, Lausanne

Maire Olivier, Bramois

Malard Brigitte et Raoul, Fully

Malingue SA, Daniel Malingue, Paris, France

Marclay Portmann Maria et Raphaël, Sion

Martinetti Raphy et Madeleine, Martigny

Maupin Hervé, Crans-Montana

Maurer Marcel, Sion

Maus Bertrand, Bellevue-Genève

Meierhofer Françoise, Mellingen

Métrailler Serge, Grimisuat

MG Finances SA, Lausanne

Micarana SA, Courtepin

Michel Thierry, Chambésy

Michellod Lise et Jean-François, Verbier

MK Consulting, Culoz Axel, Genève

Monney-Campeanu Gilbert et May, Vétroz

Montillo Pierre, Saint-Jorioz, France

Morard Jacques, Fribourg

Moret Frères SA, Frédéric Moret, Martigny

Nahon Philippe, Courbevoie, France
Nicole Gaston, Nyon
Noir Dominique, Ollon
Oesch Christine et Kurt, Lausanne
Orsinger Yves, Martigny
Palazzolo Olivia, Gstaad
Parvex Claude, Chermignon
Paternot-Lindgren Monica, Le Châble
Peter Hans-Ulrich, Sion
Peyraud Carmen et Roger, Genève
Pfister Paul, Bülach
Piasenta Pierre-Angel, Les Marécottes
Pignolo-Engel René et Käthi, Berne
Plight Sàrl, Giroud Patrick, Chamoson
Pomari Alessandra, Minusio (Tessin)
Pradervand & Duay SA, Martigny
Pradervand Mooser Michèle,
    La Croix-sur-Lutry
Primatrust SA, Philippe Reiser, Genève
Probst Elena, Zurich
Proz Liliane et Marcel, Sion
Puech-Hermès Nicolas, Orsières
Rabaey Gérard, Blonay
Ramoni Raymond, Cossonay
Raoul Francis, Le Mont-sur-Lausanne
Ribet Huguette, Verbier
Riesco Fabienne, Martigny-Bourg
Righini Charles et Robert, Martigny
Robert Philippe, Auvernier
Roccabois Exploitation SA, Pierre-Maurice
    Roccaro, Charrat
Roduit Bernard, Fully
Rotary Club Martigny
Rouiller Mathieu, Martigny
Rybicki-Varga Susan, Grimisuat,
    à la mémoire de Jean-Noël
SB Ingénierie Sàrl, Serge Berrut, Troistorrents
Seppey Narcisse, Hérémence
Séris Geneviève et Jean-François, Ayse,
    France
Severis Denis, Genève
Singy Violette et Daniel, Blonay
Société des Cafetiers de la Ville de Martigny
Société des Vieux-Stelliens Vaudois,
    Pierre Maurer, La Tour-de-Peilz
SOS Surveillance, Glassey SA, Vernayaz
Sprung Eliane et Ascher, Crans-Montana
Stähli Regula, Nidau

Stalder Louise, Avully
Stefanini Giuliana et Giorgio, Wilen b. Wollerau
Stettler Martine, Chemin
Tadros Michel-Charles, Ottawa, Canada
Taugwalder Elisabeth, Sion
Taverne de la Tour, Martigny
Taxi Piller Sàrl, Martigny
Thétaz Anne-Marie et Pierre-Marie, Orsières
Thiébaud Monique, Vollèges
Thompson Géraldine et Ken, Martigny
Tissières Chantal et Pascal, Martigny
Tornay Jacqueline et Pierre-André, Genève
Trèves Martine, Coppet
Valloton Henri, Fully
Valmaggia Rose-May et François, Sierre
Vandenbulcke Geneviève, Neuvecelle, France
Van der Hiele Zuber Neeltje, Veyras
Vêtement Monsieur, Martigny
Veuthey François, Martigny
Vocat Colette, Martigny
Vocat Olivier, Martigny
Vollenweider Ursula, Nyon
Von Ro, Daniel Cerdeira, Charrat
Vouilloz Liliane et Raymond, Fully
Voutaz SA, Claude Voutaz, Martigny
Wacyba Ltd, Blaise Yerly, Bulle
Wittouck Amaury, Verbier
Zufferey Gilles, Martigny
Zurcher Danièle, Martigny
Zurich Assurances, Enrique Caballero,
    Monthey

Colonne de bronze à Fr. 250.-
Abrifeu SA, Anne-Brigitte Balet Nicolas,
    Riddes
Accoyer Bernard, a. Président de l'Assemblée
    Nationale, Veyrier-du-Lac, France
Aebi Jean-Marc, Savigny
Aepli & Fils SA, François Aepli, Dorénaz
Aeschimann Nicole, Charrat
Aghroum Christian, St-Sulpice
Airnace SA, Francis Richard, Evionnaz
Albertini Sylvette, Verbier
Alchizen, Nicolette Roduit, Martigny
Alksnis Karlis, Rolle
Alméras Jean, St-Prex
Alter Max, Martigny
Ambrosetti Molinari, Mme et M., Savone, Italie

Amedeo Giovanna, en sa mémoire par Elisa,
    Luxembourg
Amez-Droz Ninon, Martigny
Amgwerd Marlyse, Echallens
Andany Angel, La Fouly VS
Andenmatten Arthur, Genève
Andenmatten Chantal et Roland, Martigny
Anderson Pia, Verbier
Anderssen Pal, Martigny
Andrey Olivier, Fribourg
Andrivet Jacqueline et Jean-Pierre, Draillant,
    France
Anonyme, Bex
Anonyme, Blonay
Anonyme, Lausanne
Anonyme, Ovronnaz
Anselmetti Dayer Céline, Charrat
Applitec Omron, Jean-Daniel Schaltegger,
    Assens
Arlettaz Daniel, Martigny
Arnaud Claude, Pully
Arnold Annika, Gilly
Arnold René-Pierre, Lully
Assémat-Tessandier Diane et Joseph, Verbier
Association Musique et Vin,
    Jacques Mayencourt, Bains de Saillon
Atelier du cadre Sàrl, Charly Perrin, Martigny
Aubailly Serge, Orléans, France
Aubaret-Schumacher Charlotte, Genève
Auchlin Suzanne, Montherod
Avoyer Pierre-Alain, Martigny
Bachmann Jean-Pierre, Réchy
Badoux Jean-René, Martigny
Baggaley Rachel, Les Marécottes
Balet Christine, Grimisuat
Balma Manuela et Marc-Henri, Chancy
Bandelier Denis, Vésenaz
Barth-Maus Martine, Genève
Bartoli Anne Marie, Thézan les Béziers,
    France
Baruh Micheline, Chêne-Bougeries
Baseggio Olivier, Saint-Maurice
Batschelet-Breda Jacqueline, Versoix
Baud Bernard, Haute-Nendaz
Baud Marie-Pierre, Haute-Nendaz
Baudoux Pascal, Lutry
Bauer-Pellouchoud Marie-José, Martigny
Baur Martine et François, Lyon, France

Beaumont Hélène, Carpentras, France
Bédard Nicole et Robert, Genève
Bedoret Edith, Crans-Montana
Beeckmans Caroline, Sion
Beer Elisabeth et Heinz, Solothurn
Beiger Xavier, Martigny
Belgrand Jacques, Belmont
Bellicoso Oxana et Antonio, Martigny-Croix
Belzeaux Patrice, Perpignan, France
Berdoz Gérald, Vouvry
Berguerand Marc, Nyon
Berguerand-Thurre Anne-Patricia, Martigny
Berkovits Maria et Joost, Hoofddorp,
    Pays-Bas
Berlie Jacques, Miex
Bernasconi Giancarlo, Massagno
Bernasconi Giorgio, Collombey
Bernasconi Sylvie, Troinex
Berrut Jacques, Monthey
Berthon Emile, Grilly, France
Bertrand Catherine, Genève
Besson Immobilier SA, Verbier
Bestenheider Eliane, Crans-Montana
Betschart Auguste, Levron
Biaggi André, Martigny-Croix
Bille Geneviève et René Pierre, Les Mosses
Bircher Carole, Verbier
Bise Krystin, Clarens
Bitschnau Veltman Ruth Maria, Chandonne
Black Findlay, Verbier
Blackshaw Sara, Le Châble
Blanc Jacky, Monthey
Blaser Heinz Paul, Sion
Bloch Robert-Philippe, Sorens
Bloechliger-Gray Sally et Antoine,
    La Tour-de-Peilz
Boada José, Genthod
Bochatay André, Lausanne
Bocion Antonia, Martigny
Boismorand Pascale et Pierre, Martigny
Boissier Marie-Françoise, Verbier
Boissonnas Jacques et Sonia, Thônex
Bollin Catherine et Daniel, Fully
Bollmann Jürg, Villars-sur-Glâne
Bonfanti Claire-Lise et Jean-Yves, Léchelles
Bonhomme Brigitte, Grenoble, France
Bonvin Louis, Sierre
Bonvin Roger, Martigny

Bonvin Venance, Lens
Bordier Isabelle, Bourg-Saint-Pierre
Borel Frédéric, Chavannes-Renens
Borel Nicole et Patrick, Asnières sur Seine,
    France
Borgeat Françoise, Crans-Montana
Borstcher Emma, Vétroz
Bottaro Françoise, Martigny
Boucherie Traiteur 3 Petits Cochons,
    Léo Vouilloz, Fully
Bourdier Claire et Pierre, Fierville-les-mines,
    France
Bourger Dominique, Lausanne
Bourqui Edmond, Martigny
Bouthéon Pascale, Vernier
Bouvet Elisabeth, Chambéry, France
Braconi Andréa, Ecublens VD
Brandenberger Laurent, Zurich
Bretz Carlo et Roberta, Martigny
Brichard Jean-Michel, Bar-le-Duc, France
Briguet Florian, Saillon
Brodbeck Pierre, Fenalet-sur-Bex
Bruchez Pierre-Yves, Martigny
Brun Francis, Lyon, France
Brun-Ney Jacqueline et Philippe, Vienne,
    France
Brünisholz-Moyal Lynda, Champéry
Brunner P. et Coupy JM, Sierre
Brusset Daniel, Cairanne, France
Buchser-Theler Agnès et Hans-K., Ausserberg
Bugnon Alain, Pully
Bullimore Judith, Châtel-St-Denis
Bullman Anthony, Verbier
Buser Niklaus et Michelle, Le Bry
Bütikofer Vincent Christiane, Bex
Cabinet Médical Raphaël Guanella Sàrl,
    Raphaël Guanella, Martigny
Café Au Tambourin, chez Yannick, Martigny
Caillat Béatrice, Corsier GE
Campanini Claude, Bevaix
Camus-Cadot Marie-Elisabeth, Publier, France
Cand Jean-François, Yverdon-les-Bains
Candaux Rosemary, Yverdon-les-Bains
Capidex, Eric Lejosne, Bellignat, France
Carenini Plinio, Bellinzone
Carlens Denis, Estavayer-le-Lac
Carpentier Avocats, Jean-Philippe Carpentier,
    Paris, France

Carron Annie et Michel, Sierre
Carron Camille, Fully
Carron Josiane, Fully
Carrupt Roland, Martigny
Cartier Marie-Anne et Jean, Crans-Montana
Cassaz Béatrice, Martigny
Castella Eliette, Saint-Pierre-de-Clages
Cavallero Yolande, Choulex
Cavalli Fausta, Verscio
Cave de Bovanche, Anne et
    Pierre-Gérard Jacquier-Delaloye, Savièse
Cavé Olivier et Aris d'Ambrogio, Moutier
Caveau des Ursulines, Gérard Dorsaz,
    Martigny-Bourg
Caveau du Moulin Semblanet, Marie-Claire
    Merola, Martigny
Cavin Micheline et Albert, Martigny
Cefima SA, Leytron
Celaia Serge, Martigny
Cellier du Manoir, vinothèque, Martigny
Chable Laurence, Monthey
Chalvignac Philippe, Paris, France
Chappaz Marie-Thérèse, Fully
Chappaz Renée, Martigny
Chappaz Seng Aurélie, Martigny
Chappuis Robert, Fribourg
Charalabidis Catherine et Konstantinos,
    Bry-sur-Marne, France
Charlet Thomas et Famille, Pully
Chatagny Jean-Michel, Zumikon
Chaussures Alpina SA, Danielle Henriot,
    Martigny
Chevalley Michel, Tatroz
Chevillard Véronique, Villegaudin, France
Chevrier Emmanuel, Sion
Claivaz Vincent, Martigny
Claivaz Willy, Haute-Nendaz
Clark Janet, Leysin
Clivaz Paul-Albert, Crans-Montana
Closuit Marie-Paule, Martigny
Collet Verena et Georges, Thun
Colomb Geneviève et Gérard, Bex
Commerces valaisans de proximité,
    M. Albert Asanovic, Saxon
Commune de Martigny-Combe
Comte Genevieve et Hervé,
    Pharmacie de la Gare, Martigny
Conrad Nicole, Aran

Coppey Charles-Albert et Christian, Martigny

Copt Aloys et Simone, Martigny,
en leurs mémoires, par Grégoire

Copt Marius-Pascal, Martigny

Coquoz Elisabeth, Les Marécottes

Corm Serge, Rolle

Cossi A. + G. Sagl, Attilio Cossi, Ascona

Cottet Nicole, Villarvolard

Couchepin Anne-Marie, Lausanne

Couchepin Florence, Martigny

Courcelle-Gruz Christiane, Saint-Cergues,
France

Courtière Sophie, Arbaz

Crans-Montana Tourisme, Bruno Huggler,
Crans-Montana

Cresp Renée, Nyon

Crestani Christine et Roberto, Martigny

Crettaz Arsène, Martigny

Crettaz Fernand, Martigny

Crettaz Monique, Pont-de-la-Morge

Crettaz Pierre-André, Diolly

Crettenand Dominique, Riddes

Crettenand Narcisse, Isérables

Crettenand Simon, Riddes

Cretton Couchepin Patty, Martigny

Cretton Jean-Pierre, Martigny

Cretton Marie-Céline, Monthey

Crittin Colette, Morgins

Crol Johannes, Verbier

Crommelynck Landa et Berbig Carine, Paris,
France

Cuanoud Gabriella, Etoy

Cusani Josy, Martigny

Daeninck Anne-Marie et Géry, Verbier

Dallenbach Monique et Reynald, Vollèges

Dallèves Anaïs, Salins

Dapples-Chable Françoise, Verbier

Darbellay Architectes et Associés Sàrl,
Martigny

Darbellay Carrosserie - Camping Car Valais SA,
Martigny

Darbellay Gilbert, Martigny

Darbellay Madeleine, Martigny-Croix

Darbellay-Rebord Béatrice et Willy, Martigny

D'Arcis Yves, Pomy

Davidis Fabienne, Arveyes

Davoine Anne et Paul, Saillon

Davoine Christine et Didier, Verbier

Dawson Cressida, Haute-Nendaz

De Bay Pierre-Edouard, Genève

Débieux Valérie, Marly

De Bruijn Louise et Bernard, Hérémence

De Haller Emmanuel B., Neftenbach

Deillon Marchand Monique, Onex

De Kalbermatten Anne-Marie, Veytaux

De Kalbermatten-Ott Suzanne, Jouxtens

Delafontaine Jacques, Chexbres

De la Grandière Arthur, Chesières

Delaloye Eric, Sion

Delamuraz-Reymond Catherine, Lausanne

De Lavallaz Jacques, Sion

Delcey Mesures, Corcelles-Cormondrèche

Della Torre Carla, Mendrisio

De Montalembert Laura, Champéry

De Preux Michèle, Jouxtens-Mézery

De Rambures Francis, Verbier

Derron Bernard, Môtier-Vully

Deruaz Anne, Vésenaz

Desmond Corcoran, Londres

De Villèle Maud, Verbier

De Vogüé Béatrice, Crans-Montana

De Weck Jean-Baptiste, Fribourg

Diacon Philippe, La Tour-de-Peilz

Didier Mélanie, Colombier VD

Diethelm Roger, Martigny

Dini Liliane, Savièse

Dirac Georges-Albert, Martigny

Ditesheim & Maffei, François Ditesheim,
Neuchâtel

Donette Levillayer Monique, Orléans, France

Dorsaz François, Martigny

Dorsaz Léonard, Fully

Dovat Viviane, Val-d'Illiez

Dreyfus Pierre et Marie-Christine Dutheillet
de Lamothe, Bâle

Driancourt Catherine, Hermance

Droguerie-Herboristerie L'Alchimiste,
Martigny

Drony Simone, Passy, France

Duboule-Claivaz Stéphanie, Martigny

Dubuis Monique et Claude R, Martigny

Duché Bernard, Courlon/Yonne, France

Duclos Anne, Chambésy

Ducreux Marie et Philippe, Evian-Les-Bains,
France

Ducrey Jacques, Martigny

Ducrey Olivier, Pully

Ducry Danièle et Hubert, Martigny

Duperrier Philippe F., Aire-la-Ville

Duplirex, L'Espace Bureautique SA, Martigny

Dupont Jean-Marc, Saxon

Durand-Ruel Denyse, Rueil Malmaison,
France

Durandin Marie-Gabrielle, Monthey

Dussez Jules, Martigny

Dutoit Bernard, Lausanne

Egli Chantal et Duriaux André, Genève

Ehrensperger André, Salvan

Electricité d'Emosson SA, Martigny

Emery Marie-Thérèse, Martigny

Emonet Cécile, Martigny

Emonet Philippe, Martigny

Esprit-momentum Sàrl, Collombey

Etoile Immobilier, Danni Hammer, Verbier

Etude Ribordy & Wenger, Olivier Ribordy,
Martigny

Falbriard Jean-Guy, Champéry

Fardel Didier, St-Pierre-de-Clages

Farner Marie-Bernard, Chamoson

Fauquex Arlette, Coppet

Faure Isabelle, Minusio

Fauvel Aude, Le Mont-sur-Lausanne

Favre Marie-Thé et Henri, Auvernier

Favre Roland R., Stallikon

Favre Thierry, Martigny

Favre-Crettaz Luciana, Riddes

Favre-Emonet Michelle, Sion

Febex SA, Bex

Fédération des Entreprises Romandes Valais,
Sion

Feiereisen Josette, Martigny

Felberbaum Florence et Claude, La Tzoumaz

Feldschlösschen Boissons AG, Viège

Fellay Françoise, Martigny

Fellay Monique, Martigny

Fellay Tina, Martigny

Fellay-Pellouchoud Michèle, Martigny

Ferrari Paolo, La Tour

Ferrauto Fabienne, Les Avants

Feurer Gabrielle, Cologny

Fiduciaire Rhodannienne SA, Sion

Fillet Jean, pasteur, Thônex

Filliez Bernard, Martigny

Firmann Denise, Le Pâquier

Fischer Brigitte et Mollard André, Cointrin

Fischer Christiane et Jan, Zollikon

Fischer Hans-Jürgen, Delémont

Flipo Jérôme, Verbank, Etats-Unis

Floris Michel, Tournai, Belgique

Fluckiger-Felley Frédérique, Martigny

Foire du Valais, Martigny

Fontanella Sara, Martigny

Fournier-Bise Nicole et Michel, Levron

Frachebourg Jean-Louis, Sion

Franc-Rosenthal Eve, Martigny

Francey Mireille, Grandson

François Eric, Servoz, France

Franz Claudine, Chêne-Bougeries

Franzetti Fabrice, Martigny

Franzetti-Bollin Elisabeth, Martigny

Frass Antoine, Sion

Friedli Anne et Catherine Koeppel, Fully

Frigerio-Merenda Silvia, Cadro

Fumex Bernard, Neuvecelle, France

G. J.-M., Vétroz

Gadda Conti Piero Ettore, Lens

Gailland Monique et Paul, Montagnier

Gaillard Benoît, Martigny

Gaillard Fabienne et Yves, Martigny

Gaillard Jean-Christophe, Martigny

Gaillard Philippe, Martigny

Gaille Claude, Prilly

Galerie du Bourg, Jean-Michel Guex,
   Martigny

Galerie Mareterra Artes, Eeklo, Belgique

Galerie Patrick Cramer, Genève

Galland Christiane, Zermatt

Gamper Bibiane et Roland, Meyrin

Ganzoni Blandine et Philipp, Sion

Garage Olympic, Martigny

Gardaz Jacques, Châtel-Saint-Denis

Gauchat Marc-Henri, Uvrier

Gault John, Orsières

Gautier Jacques, Genève

Gay Dave, Bovernier

Gay des Combes Fabienne Marie, Martigny

Gay Frédéric, Les Valettes

Gay-Balmaz Nicole, Martigny

Gay-Crosier François, Martigny-Croix

Gay-Crosier Marinette, Martigny

Gay-Crosier Philippe, Ravoire

Gebhard Charles, Küsnacht

Geissbuhler Frédéric, Auvernier

Genet Monique, Bex

Genetti SA, Riddes

Gérance Service SA, Villars-sur-Ollon

Gertsch Denise, Le Châble

Gexist, Daniel Gex, Martigny

Ghazaryan Anzhela, Nyon

Gianadda Elisabeth et Bernard, Sion

Gianadda Laurent, Martigny

Gilbert Luc-Régis, Pantin, France

Gilgen Door Systems, Sion

Gilliéron Maurice, Aigle

Giovanola Denise et Alain, Martigny

Girod Dominique, Genève

Godfrey-Faussett Peter, Londres

Giroud Robert, Martigny

Gonvers Serge, Vétroz

Gorgemans André, Martigny

Gremion Hélène, Pringy

Grisoni Michel, Vevey

Groppi J.P. Mario, Veyras

Gross Philippe, Gland

Gudefin Marie-Andrée, Verbier

Guelat Laurent, Fully

Guex-Crosier Jean-Pierre, Martigny

Guigoz Françoise, Sion

Gunzinger Annamaria, Binningen

Guyaz Laubscher Claudine et Heinz,
   Lausanne

Haldimann Blaise, Sierre

Halle Maria et Mark, Givrins

Hanier Bernard et Peier Jacqueline,
   Crans-Montana

Harsch Henri HH SA, Carouge-Genève

Helvetia Assurances, Olga Britschgi, Genève

Henigma SA, Franzetti Pierre-Yves, Sion

Héritier Françoise et Michel, Martigny

Hermann Roger, Mont-sur-Rolle

Herrli-Bener Walter, Arlesheim

Hinden Werner, Cureglia

Hintermeister James, Lutry

Hochuli Sylvia, Chêne-Bougeries

Hoffstetter Maurice, Blonay

Hoog-Fortis Janine, Thônex

Hôtel Mont-Rouge, Jean-Jacques Lathion,
   Haute-Nendaz

Hottelier Jacqueline, Plan-les-Ouates

Hottelier Patricia et Michel, Genève

Huber Théo, Petit-Lancy

Hubert Patrick, Pully

Huguenin Suzanne, St-Légier-La-Chiésaz

Iller Rolf, Haute-Nendaz

Imhof Anton, La Tour-de-Peilz

Imhoof Martine, Crans-sur-Sierre

Imprimerie du Bourg Sàrl, Martigny

Imprimerie Schmid SA, Sion

Invernizzi Fausto, Quartino

Iori Ressorts SA, Charrat

Iseli Bruno-François, Effretikon

Island Colours Sàrl, Danny Touw, Champéry

Isler Brigitte, Pully

IZ Wealth Management SA, Sion

Jaccard Francis, Fully

Jaquenoud Christine, Bottmingen

Jaques Paul-André et Madeleine,
   Haute-Nendaz

Jaquier Christian, Aadorf

Jaunin Isabelle et André, St-Légier

Jawlensky Angelica, Mergoscia

Jayet Monique, Sembrancher

JEP Finance, Jérôme Levy,
   Saint-Cyr-au-Mont-d'Or, France

John Marlène, Sierre

Joliat Jérôme, Genève

Jolly Irma, Vevey

Joris Alain, Sion

Joris-Hertach Nelly, Sion

Joris Pascal, Martigny

Joseph Carron SA, Sébastien Carron, Saxon

Juillerat Françoise, Haute-Nendaz

Jules Rey SA, Crans

Kadry Buran, Vétroz

Kaplanski Georges, Marseille, France

Karbe-Lauener Kerstin, Ayent

Kegel Sabine, Genève

Kelkermans Tristan, Martigny

Keppler Athéna et Daniel, Mollens VS

Kernohan Jenny, Verbier

Kesselring Bertrand et Maggie, Founex

Kings William, Wuppertal, Allemagne

Kirchhof Sylvia et Pascal, Genève

Krafft-Rivier Loraine et Pierre, Lutry

Kresse Fabienne et Philippe, Genève

Krichane Edith et Faïçal, Chardonne

Kugler Alain et Michèle, Genève

Kurkdjian Rosina et Norayr, Chamoson

173

Kuun d'Osdola Anne-Marie et Etienne, Martigny

Labruyère Françoise, Auxerre, France

Lacombe François, Grenoble, France

Lagger Peter, Brig-Glis

Lagrange Claudine, Villars

Lanni Lorenzo, Martigny

Lanzani Paolo, Martigny

Laub Jacques, Founex

Laubscher Ariane, Croy

Laurant Marie-Christine et Marc, Fully

Laurent Rémy, La Fouly

Laverrière-Joye Marie-Christine et Constant, Genève

Laydevant Roger, Genève

Le-Bennett Minh Chau, Villars-sur-Ollon

Le Floch-Rohr Josette et Michel, Confignon

Le Prado Catherine, Crans-Montana

Ledin Michel, Conches

Leglise Véronique et Dominique, La Chapelle-d'Abondance, France

Lendi Beat, Prilly

Leonard Gary, Sion

Lewis-Einhorn Rose N., Begnins

Liaci Elena, Martigny

Liardet Rose-Marie, Font

Librairie du Baobab, Yasmina Giaquinto, Martigny

Lieters Françoise, Amplepuis, France

Limacher Florence et Stern Richard, Eysins

Lindstrand Jacqueline, Monthey

Livera Léonardo, Collombey

Livio Jean-Jacques, Corcelles-le-Jorat

Logean Sophie et Christian, Meyrin

Lonfat Juliane, Martigny

Los Elisabeth, Rennaz

Louviot Jacqueline, Villars-Burquin

Lubrano Annie, Fribourg

Lucchesi Serenella, Monaco

Lucciarini Bernard, Martigny

Lugon Brigitte, Martigny

Lugon Moulin Jacqueline, Saillon

Luisier Adeline, Mase

Luisier-Délez Valérie, Martigny

Lukomski Michal, Genève

Lustenberger Annelise, Lucerne

Maget Vincent, Martigny

Mandosse Marie-France, Lausanne

Mangez Bernard, Villeneuve-d'Ascq, France

Marbrerie nouvelle du Rhône, Patrick Althaus, Riddes

Maréchal Silvana, Chexbres

Mariaux Richard, Martigny

Marin Yvan, Chandonne

Marquis René, Martigny

Martin Michèle, Saillon

Martinez German et Luukka Panja, Meyrin

Mathieu Erich, Binningen

Matthey Pierre-Henri, Genève

Maumet-Verrot Evelyne, Lyon, France

Maurer Willy, Riehen

May Claudine, Saillon

Mayor Philippe, Martigny

McGrath Jerry, Verbier

Melly Christian, Vissoie

Melly Christine, Saint-Luc

Melly Jacques, Granges

Mendes de Leon Luis, Champéry

Menétrey-Henchoz Jacques et Christiane, Porsel

Menuz Bernard et Chantal, Satigny

Merlo Olivetti Arrigo, Crans-Montana

Messner Tamara, Martigny

Métrailler Pierre-Emile, Sierre

Métrailler Sonia, Savièse

Metzler Hélène, Saint-Légier-La Chiésaz

Meunier Jean-Claude, Martigny

Meyer Daniel, La Tour-de-Peilz

Miallier Franck, Chamonix, France

Miallier Raymond, Clermont-Ferrand, France

MIAM Développement SA, Martigny

Miauton Pierre-Alex, Bassins

Michalski-Hoffmann Vera, Lausanne

Michaud Baillod Tamara, Verbier

Michaud Claude, St-Légier

Michaud Edith et Francis, Martigny

Michelet Freddy, Sion

Michellod Guy, Martigny

Michellod Thierry, Monthey

Miescher Laurence, Saint Genis Pouilly, France

Migliaccio Massimo, Martigny

Miremad Bahman, Grimisuat

Mittelheisser Marguerite, Illfurth, France

Moillen Marcel, Martigny

Moillen Monique, Martigny

Monnard Gabrielle, Martigny

Monnet Bernard, Martigny

Monnet Jean-Pierre, Martigny

Montfort Evelyne, Hauterive

Mordasini Michel, Aproz

Moret Claude, Martigny-Croix

Moret-Conforti Sabine, Bovernier

Moretti Anne, Pully

Morezzi Marie-Pierre, Bulle

Morin-Stampfli Alain, Châteauroux, France

Mottet Brigitte, Evionnaz

Mottet Marianne, Evionnaz

Mottet Xavier, Torgon

Moudon Sophie, La Fouly VS

Moulin Raphaël, Charrat

Moulin-Michellod Sandra, Martigny

Müller Christophe et Anne-Rose, Berne

Mullié Michèle, Quiberon, France

Nanchen Jacqueline, Sion

Nançoz Roger et Marie-Jo, Sierre

Nantas-Massimi Yves, St-Etienne, France

Neuberger Wolfgang, Bregenz, Autriche

Nicod Patricia, Lausanne

Nicolazzi Anne-Marie, Genève

Nicolet Olivier, Les Ponts-de-Martel

Nicollerat Louis, Martigny

Nieth Rodolphe, La Tzoumaz

Nordmann Alain, St-Sulpice

Nosetti Orlando, Gudo

Nouchi Frédéric, Martigny

O'Halloran Benedict, Verbier

Obrist Reto, Sierre

OCMI Société Fiduciaire SA, Genève

Oertli Barbara, Bernex

Oetterli Anita, Aetingen

OLF SA, Patrice Fehnmann, Fribourg

Paccolat Colin, Martigny

Pages Didier, Brenles

Pages Frank, Crans-Montana

Paley Nicole et Olivier, Chexbres

Pantalone Marlyse, Aigle

Papilloud Jean-Claude, Créactif, Martigny

Pascal Jean-Yves, Sainte Foy Lès Lyon, France

Pasche Laurence et François, Lausanne

Pasqualini Claudine, Veyrier

Pasquier Bernadette et Jean, Lens

Paternot Louise, Verbier

Patrigot Nicolas, Chamonix, France

Pellouchoud Janine, Martigny

Peny Claude, Lausanne

Perraudin Maria, Martigny

Perret Alain, Vercorin

Perret Eliane, Montreux

Perrier Laurent, Fully

Perrier Nicole, Saxon

Petite Jacques, Martigny

Petroff Michel et Claire, Bellevue

Pfefferlé Raphaële, Sion

Pfister-Curchod Madeleine et Richard, Pully

Pharmacie de Clarens, Alain Piquerez, Clarens

Pharmacie de l'Orangerie, Antoine Wildhaber, Neuchâtel

Pharmacies de la Gare, du Léman, Centrale, Lauber, Werlen et Zurcher, Martigny

Pharmacieplus, Jean-Marc Besse, St-Maurice

Philippe Francine, Paris, France

Philippin Chantal et Bernard, Martigny

Phillips Monique, Lausanne

Picard Valérie, Vessy

Pignat Bernard, Vouvry

Pignat Daniel, d'Alfred, Plan-Cerisier

Pignat Daniel et Sylviane, Martigny-Croix

Pignat Marc, Martigny

Pillet Jacques, Martigny

Pillet Sonja, Martigny

Pillonel André, Genève

Piscines et Accessoires SA, Sébastien Pellissier, Martigny

Pitteloud Anne-Lise, Sion

Pitteloud Janine, Sion

Pitteloud Paul-Romain B., Bramois

Pittier Claude, Ollon

Piubellini Gérard, Lausanne

Pléion Wealth Partners, Verbier

Poncioni Françoise, Martigny

Porrero Nuche Lucia, Genève

Potie Edith et Louis, Hauteluce, France

Potterat Debétaz Paule, Pully

Pouvesle Patrice, Burcin, France

Pralong Thérèse, Martigny

Preisig Heinz, Savièse

Puippe Janine, Ostermundigen

Puippe Pierre-Louis, Martigny

Puippe Raymonde et Chattron Janine, Martigny

Puy Henri, Martigny

Raboud Hugues, Genthod

Raboud Jean-Joseph, Monthey

Radja Chantal, Martigny

Ramberg Danielle, Bex

Ramel Daniel, Jouxtens-Mézery

Rausing Birgit, Lutry

Reber Guy et Edith, Collonge-Bellerive

Rebord Mario, Martigny

Rebstein Gioia et François, La Conversion

Regazzoni Mauro, Tegna

Reginster Jean-Yves, Clarens

Reichenbach Myriam, Sion

Rémondeulaz David, Saillon

Résidence Arts et Vie, Samoëns, France

Restaurant «Le Belvédère», Sandrine et André Vallotton, Chemin

Resto de la Piscine & Patinoire, Martigny

Reuse Nicolas, Martigny

Revaz Bénédicte et Cédric, Finhaut

Rey Sylvaine, Ecoteaux

Rey-Günther Anita, Port

Ribordy Guido, Martigny

Richard Hélène et Hubert, Paris, France

Riethmann Chantal, Verbier

Riezman Howard, Avusy

Riezman Isabelle, Avusy

Righetti Michèle et Angelo, Genève

Rijneveld Robert, Randogne

Ritrovato Angelo, Monthey

Rivier Françoise, Aïre

Roccarino Fabienne, Peseux

Rochat Elisabeth et Marcel, Les Charbonnières

Rochat Véronique, Chexbres

Roditi Anne et Phiilppe, Lutry

Roduit Albert, Martigny

Roduit Bernard, Fully

Roh Marie-Christine, Martigny

Roller Anne, Meyrin

Roney Camille et David, Mies

Ronnerström Selma Iris, Veytaux

Ronnerström-Schweizer Sven Göran et Viviane, Veytaux

Rossi-Ducci Michèle Michèle, Lausanne

Roth René, Ovronnaz

Rouiller Bernard, Finhaut

Rouiller Jean-Marie, Martigny

Rouiller Yolande, Martigny

Roulier Jacqueline, Lonay

Rouvière Jean-Pierre, Saillon

Rovelli Paolo, Lugano

Rubin Christiane F., Blonay

Rusca Eric, Le Landeron

Russo Ned, Milan, Italie

Saillet Bertrand, Ballaison, France

Saint-Denis Marc, Vandœuvre-les-Nancy, France

Salamin André, Le Châble

Salomon Svend, Crans-Montana

Sandona Marthe, Genève

Sandri Gian, Huémoz

Sarrasin Monique, Bovernier

Sarrasin Olivier, Saint-Maurice

Saudan Xavier, Martigny

Sauret Huguette, Tassin, France

Sauthier Marie-Claude, Riddes

Sauthier Monique, Martigny

Sauvain Elisabeth et Pierre-Alain, Chêne-Bourg

Savary Josette, Martigny

Schelker Markus, Oberwil

Schippers Jacob, Vouvry

Schmid Anne-Catherine, Saillon

Schmid Bernard, Charrat

Schmid Jean-Louis, Martigny

Schmid Monique, Saconnex-d'Arve

Schmidly Sonia et Armand, Chamoson

Schmidt Expert Immobilier, Grégoire Schmidt, Martigny

Schmidt Pierre-Michel, Epalinges

Schneeberger Corinne et Alain, Fully

Scholer Urs, Blonay

Schreve Frank, Verbier

Schwieger Ian, Zug

Schwob Lotti, Saillon

Seigle Marie-Paule, Martigny

Seppey André, Martigny

Sermier Irma et Armand, Sion

Sévegrand Anne-Marie, Lausanne

Severi Farquet Annelise et Roberto, Veyrier

Sicosa SA, Jean-Jacques Chavannes, Lausanne

Siegenthaler Marie-Claude, Tavannes

Siegrist Micheline, Martigny

Siggen Remy, Chalais

Simon Johny, Châtel-St-Denis

Simon Miranda, Lausanne

Simonin Josiane, Cernier

Skarbek-Borowski Irène et Andrew, Verbier

Sleator Donald, Lonay

Smith Thérèse et Hector, Montreux

So Lighting Sàrl, Villeneuve

Soulas Marc, Valréas, France

Soulier Alain, Crans-Montana

Sousi Gérard, Président d'Art et Droit, Lyon,
    France

Spinner Madelon, Bellwald

Steiner Eric, Grand-Saconnex

Stelling Nicolas, Estavayer-le-Lac

Stephan SA, Givisiez

Strebel Marja-Liisa et Martin,
    La Varenne St-Hilaire, France

Stucki David, Schmitten

Stucki Hermann, Lax

Suter Ernest, Staufen

Suter Madeleine, Grand-Saconnex

SwissLegal Rouiller & Associés Avocats SA,
    Colette Lasserre Rouiller, Lausanne

Tacchini Carlos, Savièse

Tajouri Nadja, Vex

Taramarcaz Christa, Martigny-Croix

Taramarcaz José, Martigny-Croix

Tatti Brunella, Arzier

Tavel-Cerf Solange, Chesières

Thomas Roger, Champéry

Thomson Ronald, Ravoire

Timochenko Andreï, Martigny

Tissières Magdalena, Martigny

Tixier Wiriath Marie-France, St-Sulpice

Tonossi Louis-Fred, Venthône

Tonossi Michel, Sierre

Tornay Charles-Albert, Martigny

Toureille Béatrice et Jacques, Paris, France

Troillet Jacques, Martigny

Turpin Charles, Paris, France

Turrettini Jacqueline, Vésenaz

Udriot Blaise, Martigny

Uldry Pierre-Yves, Martigny

Umiglia-Marena Monique, Renens

Vallotton Electricité, Philippe Vallotton,
    Martigny

Van der Peijl Pierrette et Govert, Terneuzen,
    Pays-Bas

Van Dommelen Kristof et Yaelle, Mollens

Van Lippe Irène, Champéry

Vanbossele Frédéric, Lourtier

Vanderheyden Dirk, Savièse

Vannay Jacqueline, Martigny

Varone Benjamin, Savièse

Varone Christian, Dône

Vaucher Stéphane, Saillon

Vautherin Didier, Sugnens

Vauthey Claude, Moudon

Vautravers Alec et Blanka, Genève

Vecchioli Nicole, Crans-Montana

Vegezzi Aleksandra, Genthod

Vernez Pascale, Avenches

Viard-Burin Cathy et Jean, Genève

Viatte Gérard et Janine, Neuchâtel

Victor Carole et François, Fully

Vigolo David, Monthey

Vigolo Rose-Marie, Saillon

Vilchien Ingrid, Genève

Vireton Didier, Genève

Vité Laurent, Bernex

Vittoz Monique et Eric, Cernier

Vogel Pierre et Liline, Saint-Légier

Volland Marc, Grand-Saconnex

Von Arx Konrad-Michel, Clarens

Von Bachmann Charlotte, Verbier

Von Campe – Boisseau Frédérique et Gord,
    Chernex

Von der Weid Dominique, Champex-Lac

Von Droste Vera, Martigny

Von Moos Geneviève, Sion

Von Muralt Peter, Erlenbach

Vouilloz Catherine et Werder Laurent,
    Martigny

Vouilloz Claude, Martigny

Vouilloz François, Uvrier

Vouilloz Philippe, Martigny

Voutaz Eric, Sembrancher

Vuignier Claire et Jacques, Martigny

Wachsmuth Anne-Marie, Genève

Wahl Francis, Cologny

Wälchli Giraud Doris, Conthey

Waldvogel Guy, Genève

Walewska-Colonna Marguerite, Verbier

Walewski Alexandre, Verbier

Werlen Françoise, Martigny

Whitehead Judith, Martigny

Widmer Karl, Killwangen

Wiedemar Daniel, Berne

Wirz Christiane, Aigle

Wurfbain Elisabeth, Haute-Nendaz

Yerly bijouterie-optique SA, Bernard Yerly,
    Martigny

Zanetti-Minikus Eleonor, Liestal

Zanfagna Hugo, Bureau d'Etudes SA,
    Martigny

Zappelli Paquerette et Pierre, Pully

Zen Ruffinen Yves et Véronique, Susten/Leuk

Zermatten Agnès, Sion

Ziegler André et Yolande, Aigle

Zilio Anne-Lise, Monthey

Zoomcolor, Martigny

Zueblin Evelyne, Gland

Zufferey Marguerite, Sierre

Zumstein Monique, Aigle

Zürcher Manfred, Hilterfingen

Zwingli Martin, Colombier

Édités et coédités par la Fondation Pierre Gianadda

Paul Klee, 1980, par André Kuenzi (épuisé)

Picasso, estampes 1904-1972, 1981, par André Kuenzi (épuisé)

L'Art japonais dans les collections suisses, 1982, par Jean-Michel Gard et Eiko Kondo (épuisé)

Goya dans les collections suisses, 1982, par Pierre Gassier (épuisé)

Manguin parmi les Fauves, 1983, par Pierre Gassier (épuisé)

La Fondation Pierre Gianadda, 1983, par C. de Ceballos et F. Wiblé

Ferdinand Hodler, élève de Ferdinand Sommer, 1983, par Jura Brüschweiler (épuisé)

Rodin, 1984, par Pierre Gassier

Bernard Cathelin, 1985, par Sylvio Acatos (épuisé)

Paul Klee, 1985, par André Kuenzi

Isabelle Tabin-Darbellay, 1985 (épuisé)

Gaston Chaissac, 1986, par Christian Heck et Erwin Treu (épuisé)

Alberto Giacometti, 1986, par André Kuenzi (épuisé)

Alberto Giacometti, 1986, photos Marcel Imsand, texte Pierre Schneider (épuisé)

Egon Schiele, 1986, par Serge Sabarsky (épuisé)

Gustav Klimt, 1986, par Serge Sabarsky (épuisé)

Serge Poliakoff, 1987, par Dora Vallier (épuisé)

André Tommasini, 1987, par Silvio Acatos (épuisé)

Toulouse-Lautrec, 1987, par Pierre Gassier

Paul Delvaux, 1987

Trésors du Musée de São Paulo, 1988 :
    Ire partie : *de Raphaël à Corot*, par Ettore Camesasca
    IIe partie : *de Manet à Picasso*, par Ettore Camesasca

Picasso linograveur, 1988, par Danièle Giraudy

Le Musée de l'automobile de la Fondation Pierre Gianadda, 1988, par Ernest Schmid (épuisé)

Le Peintre et l'affiche, 1989, par Jean-Louis Capitaine (épuisé)

Jules Bissier, 1989, par André Kuenzi

Hans Erni. Vie et Mythologie, 1989, par Claude Richoz (épuisé)

Henry Moore, 1989, par David Mitchinson

Louis Soutter, 1990, par André Kuenzi et Annette Ferrari (épuisé)

Fernando Botero, 1990, par Solange Auzias de Turenne

Modigliani, 1990, par Daniel Marchesseau

Camille Claudel, 1990, par Nicole Barbier (épuisé)

Chagall en Russie, 1991, par Christina Burrus

Ferdinand Hodler, peintre de l'histoire suisse, 1991, par Jura Brüschweiler

Sculpture suisse en plein air 1960-1991, 1991, par André Kuenzi, Annette Ferrari et Marcel Joray

Mizette Putallaz, 1991

Calima, Colombie précolombienne, 1991, par Marie-Claude Morand (épuisé)

Franco Franchi, 1991, par Roberto Sanesi (épuisé)

De Goya à Matisse, estampes du Fonds Jacques Doucet, 1992, par Pierre Gassier

Georges Braque, 1992, par Jean-Louis Prat

Ben Nicholson, 1992, par Jeremy Lewison

Georges Borgeaud, 1993

Jean Dubuffet, 1993, par Daniel Marchesseau

Edgar Degas, 1993, par Ronald Pickvance

Marie Laurencin, 1993, par Daniel Marchesseau

Rodin, dessins et aquarelles, 1994, par Claudie Judrin

De Matisse à Picasso, Collection Jacques et Natasha Gelman (The Metropolitan Museum of Art, New York), 1994

Albert Chavaz, 1994, par Marie-Claude Morand (épuisé)

Egon Schiele, 1995, par Serge Sabarsky

Nicolas de Staël, 1995, par Jean-Louis Prat (épuisé)

Larionov – Gontcharova, 1995, par Jessica Boissel

Suzanne Valadon, 1996, par Daniel Marchesseau

Édouard Manet, 1996, par Ronald Pickvance

Michel Favre, 1996

Les Amusés de l'Automobile, 1996, par Pef

Raoul Dufy, 1997, par Didier Schulmann

Joan Miró, 1997, par Jean-Louis Prat

Icônes russes. Galerie nationale Tretiakov, Moscou, 1997, par Ekaterina L. Selezneva

Diego Rivera - Frida Kahlo, 1998, par Christina Burrus

Collection Louis et Evelyn Franck, 1998

Paul Gauguin, 1998, par Ronald Pickvance

Hans Erni, rétrospective, 1998, par Andres Furger

Turner et les Alpes, 1999, par David Blayney Brown

Pierre Bonnard, 1999, par Jean-Louis Prat

Sam Szafran, 1999, par Jean Clair

Kandinsky et la Russie, 2000, par Lidia Romachkova

Bicentenaire du passage des Alpes par Bonaparte 1800-2000, par Frédéric Künzi (épuisé)

Vincent van Gogh, 2000, par Ronald Pickvance

Icônes russes. Les Saints. Galerie nationale Tretiakov, Moscou, 2000, par Lidia I. Iovleva

Picasso. Sous le soleil de Mithra, 2001, par Jean Clair

Marius Borgeaud, 2001, par Jacques Dominique Rouiller

Les Coups de cœur de Léonard Gianadda, 2001 (CD Universal et Philips), vol. 1

Kees Van Dongen, 2002, par Daniel Marchesseau (épuisé)

Léonard de Vinci - L'Inventeur, 2002, par Otto Letze

Berthe Morisot, 2002, par Hugues Wilhelm et Sylvie Patry (épuisé)

Jean Lecoultre, 2002, par Michel Thévoz

De Picasso à Barceló. Les artistes espagnols, 2003, par Maria Antonia de Castro

Paul Signac, 2003, par Françoise Cachin et Marina Ferretti Bocquillon

Les Coups de cœur de Léonard Gianadda, 2003 (CD Universal et Philips), vol. 2

Albert Anker, 2003, par Thérèse Bhattacharya-Stettler (épuisé)

Le Musée de l'automobile de la Fondation Pierre Gianadda, 2004, par Ernest Schmid

Chefs-d'œuvre de la Phillips Collection, Washington, 2004, par Jay Gates

Luigi le Berger, 2004, de Marcel Imsand

Trésors du monastère Sainte-Catherine, mont Sinaï, Égypte, 2004, par Helen C. Evans

Jean Fautrier, 2004, par Daniel Marchesseau

La Cour Chagall, 2004, par Daniel Marchesseau

Félix Vallotton, les couchers de soleil, 2005, par Rudolf Koella

Musée Pouchkine, Moscou. La peinture française, 2005, par Irina Antonova

Henri Cartier-Bresson, Collection Sam, Lilette et Sébastien Szafran, 2005, par Daniel Marchesseau

Claudel et Rodin. La rencontre de deux destins, 2006, par A. Le Normand-Romain et Y. Lacasse

The Metropolitan Museum of Art, New York. Chefs-d'œuvre de la peinture européenne, 2006, par Katharine Baetjer

Le Pavillon Szafran, 2006, par Daniel Marchesseau (épuisé)

Édouard Vallet, l'art d'un regard, 2006, par Jacques Dominique Rouiller (épuisé)

Picasso et le cirque, 2007, par Maria Teresa Ocaña et Dominique Dupuis-Labbé

Marc Chagall, entre ciel et terre, 2007, par Ekaterina L. Selezneva

Albert Chavaz. La couleur au cœur, 100ᵉ anniversaire, 2007, par Jacques Dominique Rouiller

Offrandes aux dieux d'Égypte, 2008, par Marsha Hill

Léonard Gianadda, la Sculpture et la Fondation, 2008, par Daniel Marchesseau

Léonard Gianadda, d'une image à l'autre, 2008, par Jean-Henry Papilloud

Balthus, 100ᵉ anniversaire, 2008, par Jean Clair et Dominique Radrizzani

Martigny-la-Romaine, 2008, par François Wiblé

Olivier Saudan, 2008, par Nicolas Raboud

Hans Erni, 100ᵉ anniversaire, 2008, par Jacques Dominique Rouiller (épuisé)

Rodin érotique, 2009, par Dominique Viéville

Les Gravures du Grand-Saint-Bernard et sa région, 2009, par Frédéric Künzi

Musée Pouchkine, Moscou. De Courbet à Picasso, 2009, par Irina Antonova

Moscou 1957, photographies de Léonard Gianadda, 2009, par Jean-Henry Papilloud

Gottfried Tritten, 2009, par Nicolas Raboud

Images saintes. Maître Denis, Roublev et les autres. Galerie nationale Tretiakov, 2009, par Nadejda Bekeneva (épuisé)

Moscou 1957, photographies de Léonard Gianadda, 2010, par Jean-Henry Papilloud (2ᵉ édition, version russe pour le Musée Pouchkine)

Nicolas de Staël 1945-1955, 2010, par Jean-Louis Prat (épuisé)

Suzanne Auber, 2010, par Nicolas Raboud

De Renoir à Sam Szafran. Parcours d'un collectionneur, 2010, par Marina Ferretti Bocquillon

Erni, de Martigny à Etroubles, 2011, par Frédéric Künzi

Maurice Béjart, photographies de Marcel Imsand, 2011, par Jean-Henry Papilloud et Sophia Cantinotti (épuisé)

Monet au Musée Marmottan et dans les Collections suisses, 2011, par Daniel Marchesseau

Francine Simonin, 2011, par Nicolas Raboud

Ernest Biéler, 2011, par Matthias Frehner et Ethel Mathier (épuisé)

Mécènes, les bâtisseurs du patrimoine, 2011, par Philippe Turrel

Portraits-Rencontres, photographies des années 50 de Léonard Gianadda, 2012, par Jean-Henry Papilloud et Sophia Cantinotti

Portraits. Collections du Centre Pompidou, 2012, par Jean-Michel Bouhours

Van Gogh, Picasso, Kandinsky... Collection Merzbacher. Le mythe de la couleur, 2012, par Jean-Louis Prat

André Raboud, 2012, par Nicolas Raboud

Pierre Zufferey, 2012, par Nicolas Raboud

Marcel Imsand et la Fondation, 2012, par Jean-Henry Papilloud et Sophia Cantinotti (épuisé)

Sam Szafran, 2013, par Daniel Marchesseau (épuisé)

Modigliani et l'École de Paris, en collaboration avec le Centre Pompidou et les Collections suisses, 2013, par Catherine Grenier

Emilienne Farny, 2013, par Nicolas Raboud

Méditerranée, photographies de Léonard Gianadda (1952-1960), 2013, par Jean-Henry Papilloud et Sophia Cantinotti

La Beauté du corps dans l'Antiquité grecque, en collaboration avec le British Museum de Londres, 2014, par Ian Jenkins (épuisé)

Sculptures en lumière, photographies de Michel Darbellay, 2014, par Jean-Henry Papilloud et Sophia Cantinotti

Renoir, 2014, par Daniel Marchesseau

Les Vitraux des chapelles de Martigny, 2014, par Jean-Henry Papilloud et Sophia Cantinotti (épuisé)

Jean-Claude Hesselbarth, 2014, par Nicolas Raboud (épuisé)

Anker, Hodler, Vallotton… Chefs-d'œuvre de la Fondation pour l'art, la culture et l'histoire, en collaboration avec le Kunstmuseum de Berne, 2014, par Matthias Frehner (épuisé)

Matisse en son temps, en collaboration avec le Centre Pompidou, 2015, par Cécile Debray

Moscou 1957, photographies de Léonard Gianadda, 2015 (3ᵉ édition), par Jean-Henry Papilloud et Sophia Cantinotti

Léonard Gianadda, 80 ans d'histoires à partager, 2015, par Jean-Henry Papilloud et Sophia Cantinotti

Zao Wou-Ki, 2015, par Daniel Marchesseau (épuisé)

Picasso. L'œuvre ultime. Hommage à Jacqueline, 2016, par Jean-Louis Prat

Hodler, Monet, Munch. Peindre l'impossible, 2017, par Philippe Dagen

Cézanne. Le chant de la terre, 2017, par Daniel Marchesseau

Artistes valaisans, 100ᵉᵐᵉ anniversaire de la BCVs, 2017, par Christoph Flubacher et Martha Degiacomi

Toulouse-Lautrec à la Belle Époque, French Cancans, une collection privée, 2017, par Daniel Marchesseau

Soulages. Une rétrospective, en collaboration avec le Centre Pompidou, Paris, 2018, par Bernard Blistène et Camille Morando

Les coulisses de la Fondation, l'album de Georges-André Cretton, 2018, par Jean-Henry Papilloud et Sophia Cantinotti

Trésors impressionnistes. La Collection Ordrupgaard. Degas, Cézanne, Monet, Renoir, Gauguin, Matisse, 2019, par Anne-Birgitte Fonsmark

Rodin – Giacometti, 2019, par Catherine Chevillot et Catherine Grenier

Chefs-d'œuvre Suisses, Collection Christoph Blocher, 2019, par Matthias Frehner

Catalogue des Collections de la Fondation, 2020, par Jean-Henry Papilloud et Sophia Cantinotti (diffusion limitée)

Les Vitraux de la cathédrale haute de Vaison-la-Romaine, 2020, par Sophia Cantinotti et Jean-Henry Papilloud

Des chapelles de Martigny à la cathédrale de Vaison, vitraux offerts par Léonard Gianadda, 2020, par Sophia Cantinotti et Jean-Henry Papilloud

Michel Darbellay, 2020, par Sophia Cantinotti et Jean-Henry Papilloud (épuisé)

Gustave Caillebotte, Impressionniste et moderne, 2021, par Daniel Marchesseau

Le Valais à la Une. Un siècle vu par les médias, 2021, par Jean-Henry Papilloud et Sophia Cantinotti

Jean Dubuffet, rétrospective, en collaboration avec le Centre Pompidou, Paris, 2021, par Sophie Duplaix

Catalogue des Collections de la Fondation, 2ᵉᵐᵉ édition, 2022, par Sophia Cantinotti et Jean-Henry Papilloud (diffusion limitée)

Henri Cartier-Bresson et la Fondation Pierre Gianadda, 2022, par Jean-Henry Papilloud, Sophia Cantinotti, Pierre Leyrat et Aude Rimbault

Les Giratoires de Martigny, 2022, par Matthias Frehner

Turner. The Sun is God. En collaboration avec la Tate, 2023, par David Blayney Brown

Les Années Fauves. En collaboration avec le Musée d'Art Moderne de Paris, 2023, par Fabrice Hergott, Jacqueline Munck et Marianne Sarkari

Toute une vie, 2023, par Jean-Henry Papilloud et Sophia Cantinotti
Anker et l'enfance, 2024, par Matthias Frehner avec Regula Berger
Léonard Gianadda sur les traces de Tintin, dialogue d'images, 2024, par Nick Rodwell,
Sophia Cantinotti et Jean-Henry Papilloud
Cézanne – Renoir, Chefs-d'œuvre des musées de l'Orangerie et d'Orsay, Paris, 2024,
par Cécile Girardeau

À paraître
La Collection Sam Szafran de la Fondation, 2024, par Daniel Marchesseau
Hommage à Léonard Gianadda, photographies et témoignages, 2024, par Jean-Henry Papilloud
et Sophia Cantinotti
Francis Bacon, en collaboration avec la National Portrait Gallery, Londres, 2025
Chefs-d'œuvre de la collection Hammer : de Rembrandt à Van Gogh, 2025, par Cynthia Burlingham
*L'art de l'empreinte, de Manet à Kelly : trésors de la bibliothèque de l'Institut national d'histoire de
l'art*, 2025, par Victor Claass
Les Trésors du Musée de Troyes. Collection Pierre et Denise Lévy, 2025, par Marianne Mathieu
Rodin et le Moyen-Âge, 2026, par Catherine Chevillot

Filmographie en relation avec la Fondation Pierre Gianadda
La Cour Chagall, par Antoine Cretton, 2004, 10 minutes
Stella : Renaissance d'une étoile, par Antoine Cretton, 2006, 26 minutes
Sam Szafran : Escalier, par Antoine Cretton, 2006, 26 minutes
Musée et Chiens du Saint-Bernard, par Antoine Cretton, 2006, 15 minutes
Hans Erni, une vie d'artiste, par Antoine Cretton, 2008, 30 minutes
Léonard Gianadda, interlocuteur Jean-Henry Papilloud, Plans-Fixes, 2008, 50 minutes
Les 30 ans de la Fondation Pierre Gianadda, par Antoine Cretton, 2008, 26 minutes
La choucroute, par Antoine Cretton, 2008, 10 minutes
Martigny gallo-romaine, par Antoine Cretton, 2009, 10 minutes
Adèle Ducrey-Gianadda, par Antoine Cretton, 2010, 20 minutes
La mémoire du cœur, par Antoine Cretton, 2011, 25 minutes
Le tepidarium, par Antoine Cretton, 2011, 23 minutes
Le visionnaire, par Antoine Cretton, 2012, 20 minutes
Annette, par Antoine Cretton, 2012, 73 minutes
Sam Szafran : Ni Dieu ni maître, par Antoine Cretton, 2013, 45 minutes
Repères, par Antoine Cretton, 2014, 14 minutes
Faire de sa vie quelque chose de grand, par Antoine Cretton, 2015, 90 minutes
Toute une vie, entretien avec Romaine Jean, RTS, 2018, 50 minutes
L'art dans la cité, par Antoine Cretton, 2018, 45 minutes
Le Temps du Partage, par Antoine Cretton, 2021, 45 minutes
Martigny ma ville, par Antoine Cretton, 2023, 45 minutes
La Fondation et l'archéologie, par Antoine Cretton, 2023, 34 minutes
Les 52 spots de la Fondation Pierre Gianadda, par Antoine Cretton, 7 minutes
Humain passionnément : Léonard Gianadda, émission de Canal9, 2023, 28 minutes
#Helvetica : Léonard Gianadda, émission de la RTS, 2023, 22 minutes

Les films sont consultables sur le site internet de la Fondation Pierre Gianadda :
https://www.gianadda.ch/collections/films/

Table des matières

Cézanne – Renoir   François Gianadda   7

Remerciements   8

Paul Cézanne et Auguste Renoir : regarder le monde   Sylvain Amic et Claire Bernardi   9

Pierre-Auguste Renoir (1841-1919)
et Paul Cézanne (1839-1906) : trajectoires
croisées de deux grands maîtres de la peinture   Cécile Girardeau   11

Le goût pour Renoir au début du XXe siècle : Paul Guillaume
et la collection Walter-Guillaume au musée de l'Orangerie   Cécile Girardeau   17

Postérités de Renoir : un Classique dans l'atelier des modernes   Claire Bernardi   23

Cézanne dans la collection Walter-Guillaume du musée de l'Orangerie   Alice Marsal   31

« Si Cézanne a raison, j'ai raison » : comment l'avant-garde
(Derain, Matisse, Modigliani, Picasso, Soutine) regarde Cézanne   Juliette Degennes   37

Œuvres exposées   43

Biographies des artistes   160

Liste des oeuvres   163

Amis de la Fondation   167

Edités et coédités par la Fondation Pierre Gianadda   177

Crédits photographiques   183

Crédits photographiques et mentions de droits d'auteur

Commissaire de l'exposition
Cécile Girardeau

Organisation de l'exposition
Stéphanie de Brabander
Michel Odile
Thomas Eschbach
Léonard Gianadda
Anouck Darioli

Catalogue
Essais
Sylvain Amic
Claire Bernardi
Juliette Degennes
Cécile Girardeau
Alice Marsal

Contribution éditoriale
Anne-Marie Valet

Éditeur : Fondation Pierre Gianadda, Martigny, Suisse
Tél. +41 (0)27 722 39 78
Fax +41 (0)27 722 31 63
http://www.gianadda.ch
e-mail : info@gianadda.ch

Maquette : Véronique Melis, Musumeci
Giovanna Gaillard, Musumeci

Composition,
photolitho,
impression : Musumeci S.p.A., 2024
sur papier couché mat gr. 150

Couverture : Auguste Renoir, *Jeunes filles au piano*, vers 1892,
huile sur toile, 116 × 81 cm, musée de l'Orangerie
© Grand Palais RMN (Musée de l'Orangerie) /
Franck Raux et Paul Cézanne, *Madame Cézanne au Jardin*, (détail)
vers 1880, huile sur toile, 80 × 63 cm, musée de l'Orangerie
© RMN Grand-Palais / Hervé Lewandowski